Textes français / *French texts by*
Corinne LEFEBVRE

Traduction textes anglais / *Translated into English by*
Richard SWANSON

Photographies (sauf mention) / *Photographs (except where indicated)*
Patrick COINTEPOIX

Découvrir   *Discover*

Chartres
&
l'Eure-et-Loir

Diffusion : CENTRELIVRES
28600 LUISANT
Tél. 02 37 30 19 43 - Fax 02 37 35 88 88

Michel Fontaine, éditeur

12, rue Eugène-Chevreul - Pôle République II - 86000 POITIERS
Tél. : 05 49 62 01 11 - Fax : 05 49 62 01 30 - e-mail : editions@michelfontaine.9tel.com

Table des matières / *Contents*

REMERCIEMENTS

L'auteur et l'éditeur tiennent à remercier :
- L'office de tourisme de Chartres et tout particulièrement Agnès Le Maître
- Le comité départemental du tourisme d'Eure-et-Loir
- La ville de Chartres et son photographe Guillermo Osorio, pour la mise à disposition des photos
- Nadine Berthelier, conservateur en chef du patrimoine de la ville de Chartres, pour les textes sur le musée
- Les propriétaires ou administrateurs des châteaux d'Anet, de Maillebois, de Montigny-sur-Avre, de Montigny-le-Gannelon, de Villebon, de La Ferté-Vidame, de Senonches, de Frazé, de Villeprévost, des forges de Dampierre, du musée de Loigny-la-Bataille, de l'église de Meslay-le-Grenet, de l'abbaye de Nottonville, du parc de Thiron-Gardais, ainsi que les responsables de l'histoire ou du tourisme de Dreux, Courville, Illiers-Combray, Châteaudun, Nogent-le-Rotrou, Saint-Denis-d'Authou.

BIBLIOGRAPHIE SOMMAIRE

Le guide de Chartres, de Jean Villette. La Manufacture, 1988
L'Eure-et-Loir, d'Alain Bouzy. Jean Legué éditeur, 1985
L'Eure-et-Loir. Éditions Bonneton
Châteaudun... à demi-mot, de Gaston Brillant, Société dunoise d'archéologie, 1994
Chartres, la cathédrale Notre-Dame, d'Anne Prache et Françoise Jouanneaux. Édition du patrimoine, 2000
Chartres, un patrimoine à vivre, sous la direction de Nadine Berthelier. Le cherche midi, 2004
Tours et détours en Eure-et-Loir. Éditions Centrelivres, 2005
Les moulins à vent. André Gaucheron. Éditions Alphonse-Marré. 1982. (Gravure au burin de Jean-Claude Boulay).
Ciels. Jean Feugereux. Nanga. 1995

CRÉDIT PHOTOGRAPHIES :

Toutes les photographies sont de Patrick COINTEPOIX et de l'Office de Tourisme de Chartres, sauf :
- Ville de Chartres, photographies de Guillermo OSORIO, pages : 5, (haut gauche), 9, 10, 12, 13, 14,15, 16 (droite), 17 (haut), 20, 22, 25 (détail), 27, 33 (haut), 34, 35 (gauche), 37, 38.
- Clichés C. Verjux, page 52 : (fouilles archéologiques).
- Michel Fontaine, pages : 6 (la croix et le puits), 8 (bas), 9 (droite), 11, 12 (haut), 13 (bas), 14 (bas), 21, 23 (haut), 24, 26 (bas), 32, 35 (droite), 60 (moulin de La Garenne), 62, 79 (haut et droite).
- Jardins de l'Abbaye de Thiron-Gardais : photographies du Sivom du canton de Thiron-Gardais, pages : 70 et 71.
- La ferme médiévale de Bois Richeux, photographie de Hubert MOUROT, page : 57.
- Saint-Denis d'Authon, photographies de l'Association des Amis du Pat.de St-Denis d'Authon, page 72.
- Saint-Lucien (4x4) photo Le Cormier page : 50 (bas).

Photos de couverture : Recto, vue générale de Chartres (vieille ville et cathédrale) et paysage typique en Eure-et-Loir.
Verso, le château de Maintenon.

Un peu d'histoire

Le département d'Eure-et-Loir a été créé par un décret de février 1790. Il comporte deux entités différentes, tant du point de vue de l'Histoire que des paysages : le Perche à l'ouest, ancienne province française, marqué par ses collines bocagères, ses forêts, tourné vers la Normandie et la région du Mans ; et la Beauce, immense plaine agricole qui occupe plus de 170.000 hectares à l'est et au sud du département.

La culture des céréales a démarré vers le XIIᵉ siècle. Elle s'est intensifiée au XVᵉ siècle. Mais ces siècles étant jalonnés de nombreux conflits meurtriers (entre les comtes de Chartres et les rois de France, Guerre de Cent ans, guerres de religion), les habitants ont souffert

A brief history…

The Eure-et-Loir département was established by decree in February 1790, and consists of two areas that differ through their respective histories and natural settings: to the west is the Perche region, once a province in its own right, with its distinctive hedge-lined hillsides and forests reaching out towards Normandy and the area around Le Mans; then there is the Beauce plain, its vast open farmland stretching out across more than 170,000 hectares to the south and east.

Cereal crops were first grown here some time around the XIIth century, and then farmed intensively during the XVth century. These times were, however, punctuated by a series of bitter conflicts (the counts of Chartres against the kings

Le département a été considéré comme le grenier à blé de Paris et de la France entière
The Eure-et-Loir was once considered the granary of Paris and of the whole of France

comme les autres des famines et épidémies ambiantes. L'agriculture s'est réellement développée après la Révolution. C'est à partir de cette époque que le département a commencé à être considéré comme le grenier à blé de Paris et de la France entière. L'amélioration des moyens de transport au cours du XXᵉ siècle et la mécanisation ont rendu l'agriculture céréalière prospère. Mais les terres beauceronnes ont beau être toujours estampillées terres à blé et riche territoire, les agriculteurs sont de moins en moins nombreux. Face à la concurrence des pays émergeants, et soumis aux règles changeantes de la communauté européenne, ils vivent en ce début de XXIᵉ siècle une révolution dont chacun ignore encore l'issue.

of France, The Hundred Years' War, the Wars of Religion), which saw the inhabitants suffer as others did from famine and epidemics. Farming began to develop here in a major way after the French Revolution, and it was from this time onwards that the Eure-et-Loir began to be considered the granary of Paris and indeed of the whole of France. Improvements in transport during the XXth century and the increased use of machinery turned cereal farming into a thriving activity. Yet for all its status as prime wheat-growing country with a fertile soil, the number of farmers in the Beauce plain is in continual decline, such that in these early years of the XXIst century, facing competition from developing countries and the shifting rules and regulations of the European Community, they are in the midst of a sea change the outcome of which is still uncertain.

Anet

Dreux

Brezolles

La Ferté
Vidame

Nogent le Roi

N12

N154

Châteauneuf

Maintenon

Senonches

Gallardon

L'Eure

N23

Auneau

La Loupe

Courville

Chartres

A11

N154

Illiers
Combray

Nogent
le Rotrou

Thiron Gardais

Le Loir

Voves

A10

N20

Brou

Janville

N10

Bonneval

Authon du Perche

Orgères

Châteaudun

Cloyes-sur-le-Loir

L'Eure-et-Loir,
un département aux paysages variés

L'Eure-et-Loir s'étend sur 5.880 km². Il compte un peu moins de 405.000 habitants rattachés à plus de 400 communes, dont aucune grosse agglomération. Chartres, la préfecture, affiche 42.000 habitants, 90.000 avec les communes environnantes. Dreux, Châteaudun, et Nogent-le-Rotrou, les sous-préfectures, ont chacune leur vie propre, et sont tournées vers de multiples points d'attraction en dehors du département. Partie intégrante de la région Centre (capitale Orléans), le département est dans les faits très lié à l'Ile-de-France voisine et à Paris où des milliers d'Euréliens vont travailler chaque matin.

The rich variety of
the Eure-et-Loir countryside

The Eure-et-Loir département covers an area of 5,880 km² that is home to a population of just under 405,000 inhabitants in over 400 communes, none of which make up a large urban conurbation. Chartres, the prefecture, has a population of 42,000, rising to 90,000 when combined with the surrounding districts.

The sub-prefectures of Dreux, Châteaudun and Nogent-le-Rotrou each exist independently, with a perspective that includes centres of interest beyond the borders of the département. The Eure-et-Loir is part of the Centre region (capital: Orléans) and has very close ties with the neighbouring Ile-de-France region and Paris, where thousands of Euréliens commute to work every morning.

Vue générale sur la vieille ville de Chartres
General view across the old town of Chartres

Au bord du chemin,
Parc régional naturel du Perche
A roadside view in the Perche Nature Park

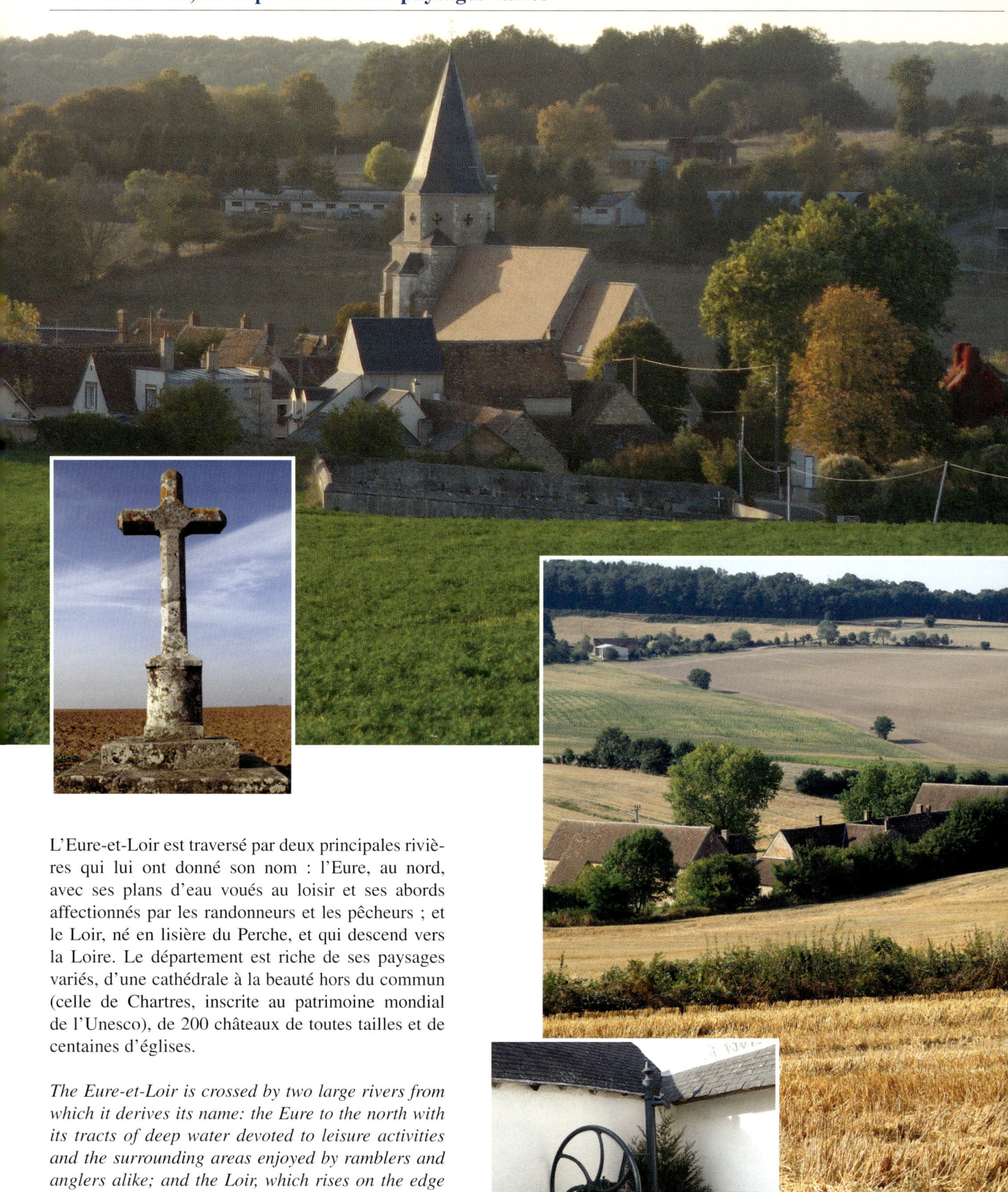

L'Eure-et-Loir, un département aux paysages variés

L'Eure-et-Loir est traversé par deux principales riviè-res qui lui ont donné son nom : l'Eure, au nord, avec ses plans d'eau voués au loisir et ses abords affectionnés par les randonneurs et les pêcheurs ; et le Loir, né en lisière du Perche, et qui descend vers la Loire. Le département est riche de ses paysages variés, d'une cathédrale à la beauté hors du commun (celle de Chartres, inscrite au patrimoine mondial de l'Unesco), de 200 châteaux de toutes tailles et de centaines d'églises.

The Eure-et-Loir is crossed by two large rivers from which it derives its name: the Eure to the north with its tracts of deep water devoted to leisure activities and the surrounding areas enjoyed by ramblers and anglers alike; and the Loir, which rises on the edge of the Perche region and descends towards the Loire. The département is blessed with countryside that is rich in diversity, a cathedral of exceptional beauty (Chartres, a Unesco World Heritage Site), 200 châ-teaux of all sizes and hundreds of churches.

Le patrimoine gastronomique chartrain...

Même si Chartres est d'abord renommée pour son patrimoine culturel et architectural, elle n'en possède pas moins un patrimoine gastronomique digne d'attirer les gourmets.

Gastronomic traditions of Chartres…

Chartres is renowned first and foremost for its cultural and architectural heritage, but it also boasts a gastronomic heritage that is sure to appeal to the gourmet palate.

Le pâté de Chartres est un pâté en croûte composé essentiellement de gibiers, célèbre depuis le XVIIIe siècle. Au fil des années, le perdreau et le faisan ont remplacé le pluvier et le guignard. L'on ajoute à cette viande foie gras, truffes et épices et l'on déguste le pâté tiède, en croûte ou en terrine.

Pâté de Chartres is a meat pie filled mainly with game and has been held in high esteem since the XVIIIth century. It is combined with foie gras, truffles and spices and is eaten warm, in the crust or as a spread.

Le cochelin est une pâtisserie en forme de bonhomme en pâte feuilletée, nature, fourrée au chocolat ou à la pâte d'amande. Au Moyen Âge, le cochelin était vendu par la confrérie des boulangers le soir du 31 décembre en guise de cadeau de bonne année.

Cochelin is a puff pastry in the form of a gingerbread man filled with chocolate or almond paste. In the Middle Ages, cochelins were sold by the bakers' guild on the 31st December as a New Year gift.

La bière de Chartres a été créée en 1880 par la famille Hornung et relancée en 1999 par Isabelle et Benoît Pasquier, restaurateurs. Cette bière de garde est réalisée notamment à partir du blé de Beauce. Elle est conservée près de 4 mois en cave avant d'être mise en bouteille.

Bière de Chartres was first brewed in 1880 by the Hornung family and then revived in 1999 by restaurant owners Isabelle and Benoît Pasquier. This is a beer that keeps well and is brewed using Beauce wheat.

La baguette Rétrodor, créée par les minoteries chartraines Viron, est confectionnée à partir de farine sans additif. Résultant d'un subtil mélange des meilleurs blés de Beauce, cette baguette se caractérise par une mie crème, à l'alvéolage irrégulier, et une croûte bien dorée.

Baguette Rétrodor was created by the Viron flour-mill, and is prepared using additive-free flour. It is a subtle mix of the best varieties of Beauce wheat and has a distinctive creamy bread with an uneven sponge and a deep golden crust.

Le macaron chartrain est tendre et moelleux. Réalisé à partir d'une pâte d'amandes pilées, de sucre et de blancs d'œufs, ce délicieux petit gâteau rond peut être fourré à de multiples parfums, y compris des saveurs salées.

Macaron chartrain is a soft and tender round macaroon made from ground almonds, sugar and egg whites, which can be filled with a variety of flavours including savoury.

Le mentchikoff est un fin chocolat praliné enrobé de meringue suisse créé en 1893 au moment de l'alliance franco-russe.

Mentchikoff is a fine praline chocolate coated in Swiss meringue, created in 1893 at the time of the Franco-Russian Alliance.

La feuille de Dreux est un fromage fermier d'origine francilienne et beauceronne. Sa pâte molle à croûte fleurie est fabriquée avec du lait de vache demi écrémé. La feuille de Dreux est très reconnaissable à ses feuilles de châtaigniers et à sa forme en disque plat.

Feuille de Dreux is a soft farmhouse cheese made from semi-skimmed cow's milk inside a mouldy rind. Feuille de Dreux cheese is easy recognisable thanks to its chestnut tree leaves and flat disk shape.

L'Ebly a été conçu par la coopérative agricole du dunois. Il est commercialisé dans toute la France. Ce grain de blé précuit se cuisine comme les pâtes et le riz.

Ebly was devised by the Châteaudun farmers' cooperative and is sold all across France. It is a precooked cereal grain made in the same way as pasta and rice.

La madeleine de Proust a été créée à Illiers-Combray, en souvenir de l'écrivain Marcel Proust qui séjourna là, enfant. Elle a la forme d'une coquille Saint-Jacques rappelant le passage des pèlerins en marche vers Compostelle.

Madeleine de Proust was created in memory of the author Marcel Proust. It is shaped like a scallop to represent the pilgrims passing through on their way to Santiago de Compostela.

Le sablé de Beauce est façonné exclusivement à partir de blé issu à 100% d'Eure-et-Loir. Il se compose de deux tiers de farine de Beauce, d'un tiers de farine du Perche, de beurre de baratte et d'œufs frais, sans additif.

Sablé de Beauce biscuits are prepared using only 100% Eure-et-Loir wheat. They are made from flour, churn butter and fresh eggs with no additives.

ICI POUSSENT VOS PÂTES

Le blé dur

Chartres, une si longue histoire

Les premières traces d'une présence humaine à Chartres sont datées du Néolithique (de 7.500 à 3.000 avant JC). Plus près de nous, la ville fut la capitale des Gaulois carnutes soumis par César en 51 avant Jésus Christ : Autricum devint alors une ville gallo-romaine prospère dont de nombreux vestiges sont régulièrement mis au jour par les archéologues d'aujourd'hui. Deux aqueducs ravitaillaient la ville qui comportait un port et un vaste amphithéâtre à l'emplacement de l'actuelle rue du cloître Saint-André.

Du Ve au Xe siècle, la région chartraine a subi de multiples invasions qui l'ont, d'une part, écartelée entre divers souverains et qui ont, d'autre part, détruit la ville à plusieurs reprises. Au XIe siècle, les comtes de Chartres, depuis leur château érigé dans la ville haute, et la puissante Église catholique se partagent le pouvoir local. L'école de Chartres - où l'on enseigne la philosophie, la théologie, l'art, la musique, la poésie, les mathématiques - acquiert, sous l'influence de l'évêque Fulbert (1006-1028), une renommée qui atteindra son apogée au XIIe siècle.

Le XIIe siècle est une période de prospérité économique pour la ville, où les artisans travaillent les produits de la campagne environnante. La population chartraine augmente et compte 10 à 12.000 habitants. De nouveaux remparts sont construits, percés de douze portes (Châtelet, Saint-Jean, Drouaise, Guillaume, Morard, St-Michel, Epars…) A l'extérieur des murs, plusieurs couvents, monastères et abbayes s'étendent : Saint-Lubin, Saint-Martin au Val, Sainte-Marie de Josaphat à Lèves, etc.

L'incendie de 1194 détruit la cathédrale édifiée après un précédent incendie en 1020. Notre-Dame est reconstruite en un temps record (moins de trente ans) au XIIIe siècle. Le comté de Chartres entre dans le domaine royal en 1286.

La Guerre de Cent ans, aux XIVe et XVe siècles, s'accompagne de massacres et de destructions dans toute la région. La peste fait également des ravages à Chartres de 1348 au début du XVIe siècle. A cette époque, la ville a perdu son rayonnement intellectuel, mais une grosse activité économique s'y développe. Au XVIe siècle, Chartres subit deux sièges pendant les guerres de religion dont celui d'Henri IV en 1591, qui se fera sacrer roi en la cathédrale trois années plus tard. Au XVIIe siècle, la ville perd son statut de place forte. L'on détruit les créneaux des remparts dont on comblera les fossés au siècle suivant. Au début du XVIIIe siècle, la ville compte 15.000 habitants (moins qu'à la fin du XVIe où elle rassemblait 20.000 âmes, chiffre qu'elle atteindra à la fin du XIXe siècle). A la Révolution, le clergé voit ses biens nationalisés et il perd sa puissance ancestrale à Chartres.

Au XIXe siècle, le chemin de fer arrive dans la ville, l'on y construit un nouvel hôpital (l'hôtel-Dieu), un théâtre, de nouveaux quartiers, un lycée (Marceau). Durant la guerre de 1870, la ville est occupée par les Prussiens. Elle le sera à nouveau par les Allemands lors de la Seconde Guerre mondiale et subira de sévères destructions lors de la Libération (la porte Guillaume, notamment, a été détruite à cette époque). Aujourd'hui, Chartres compte un peu plus de 40.000 habitants dans une agglomération de 90.000 personnes.

Le pont Saint-Thomas
au pied de la collégiale Saint-André.

*Saint Thomas' bridge at the foot
of the collegiate church of Saint André.*

Chartres, from far back in time

*T*he first signs of man's presence in Chartres date back to Neolithic times (7,000 to 3,500 years BC). In more recent times, the town was the capital of the Carnute Gauls who were conquered by Caesar in 51 BC: Autricum, as it was then, subsequently grew into a prosperous Gallo-Roman town and many of its remains are still being uncovered by archaeologists today. The town was supplied by two aqueducts and once included a port and an amphitheatre in the modern-day rue du cloître Saint-André.

The region around Chartres was invaded numerous times between the Vth and Xth centuries, resulting in the area being broken down and shared out between various sovereigns and even seeing the town destroyed several times. In the XIth century, local power was split between the counts of Chartres in their château in the upper part of the town, and the powerful Roman Catholic Church. The school at Chartres

– where philosophy, theology, art, music, poetry and mathematics were taught – became a reputed seat of learning under the aegis of bishop Fulbert (1006 – 1028) and reached the peak of its renown in the XIIth century. The XIIth century also brought a period of economic growth to the town, with its craftsmen working the products of the surrounding countryside. The town's population also grew, rising from 10,000 to 12,000, and new ramparts were built and set with twelve gates (including, for example, Châtelet, Saint-Jean, Drouaise, Guillaume, Morard, St-Michel and Epars). Beyond the town walls lay a number of convents, monasteries and abbeys such as Saint-Lubin, Saint-Martin-au-Val, Sainte-Marie de Josaphat in the town of Lèves, and others.

A fire in 1194 razed Notre-Dame cathedral, which had been built after an earlier fire in 1020. It was rebuilt in record time (less than 30 years) during the XIIIth century. The earldom of Chartres became royal land in 1286.

The Hundred Years' War of the XIVth and XVth centuries brought death and destruction to the whole region, and Chartres also paid a heavy toll to the plague from 1348 until the early XVIth century. The town lost its intellectual influence during this period, but at the same time saw a large growth in economic activity.

Chartres was placed under siege twice in the wars of religion of the XVIth century, including once, in 1591, by Henri IV, who was crowned king in the cathedral three years later.

Chartres lost its status as a fortified town in the XVIIth century. The battlements were torn down and the ditches where the ramparts once stood were filled in during the century that followed. Chartres was home to 15,000 people in the early XVIIIth century.

As the French Revolution came, so the clergy saw its assets turned over to the nation and the power it had held in Chartres for generations disappear.

The XIXth century heralded the arrival of the railway in the town, and a new hospital, a theatre, new districts and a school were also built. The town was occupied by the Prussians in the Franco-Prussian war of 1870, as it was by the Germans in World War Two before suffering extensive damage during the Liberation.

Today, Chartres is home to just over 40,000 people and forms part of a wider agglomeration that numbers 90,000 inhabitants.

La porte Guillaume détruite à La Libération, vestige des remparts.

Remains of the ramparts at Porte Guillaume, which was destroyed during the Liberation.

L'édifice actuel date en grande partie du XIIIe siècle, des débuts de l'art gothique, et se caractérise par une belle unité de style. Il a été construit en moins de trente ans à la suite de l'incendie qui avait ravagé la cathédrale en 1194. C'est la crypte qui comporte les éléments les plus anciens, du VIe siècle, elle-même datant du XIe siècle et d'une précédente reconstruction par l'évêque Fulbert. La partie basse du portail royal ainsi que la tour sud avec son clocher en écailles de pierre, ont été édifiées au XIIe siècle. Elles ont échappé à l'incendie de 1194.

La chapelle Saint-Piat, à l'extrémité sud-est du chevet, et la tour nord sont postérieures à la reconstruction du XIIIe siècle. Le clocher dit neuf a été construit par l'architecte Jehan de Beauce au début du XVIe siècle tout comme le pavillon de l'Horloge, situé à l'extérieur, sur le bas-côté nord. Le chœur a été remanié aux XVIIe et XVIIIe siècles.

Le portail sud.
South portal.

Notre-Dame cathedral

*M*ost of the current building dates from the XIIIth century, the start of the Gothic era, and is notable for its attractively cohesive style. The cathedral that we see today took less than thirty years to build after the building was gutted by fire in 1194. The oldest parts of the structure date from the VIth century and are to be found in the crypt, which itself dates back to the XIth century and earlier rebuilding work by bishop Fulbert. The lower part of the royal portal and the south tower with its chipped-stone steeple were built in the XIIth century, and both were untouched by the fire of 1194.

Porche nord, baie centrale : la reine de Juda, à droite.
*Central window of the north porch:
on the right is the queen of Judah.*

L'immense nef est soutenue par de puissants contreforts apparents que surmontent trois séries d'arcs-boutants. Le monument comporte trois séries de trois portes : le portail royal, le portail sud, et le portail nord. Le portail royal a été construit au XIIe tout comme les trois vitraux qui le couronnent. Il est décoré de multiples statues : au centre, dans le tympan, les voussures et sur le linteau, sont représentés le Christ rayonnant de l'Apocalypse, les quatre évangélistes, les vieillards de l'Apocalypse ; à gauche, l'on a sculpté l'Ascension du Christ, les signes de zodiaque et les travaux

Portail nord, à droite : Sainte Modeste ;
à gauche : Saint Potentien.
*North portal. On the right is Saint Modeste;
on the left, Saint Potentien.*

Rosace façade ouest
surmontant le portail royal.
*The rose window on the west
wall above the royal portal.*

des champs ; à droite, la statuaire est consacrée à la Vierge
et à la représentation des arts et matières enseignés à l'école
de Chartres au Moyen Âge. De grandes statues colonnes à
l'effigie des rois, reines, prophètes - mais dont l'identifica-
tion est incertaine - entourent les portes.

De tout temps, la cathédrale de Chartres a été dédiée à
Marie. L'on recense 176 représentations de la Vierge sous
toutes les formes : statues, vitraux,…

Reconnaissable à sa toiture verte en cuivre oxydé, le monument est surtout célèbre grâce à ses vitraux, qui forment
l'ensemble le plus complet de vitraux anciens conservés en
France. Les trois baies qui surmontent le portail royal datent
du XIIe siècle et comportent le fameux bleu de Chartres à
base de cobalt. Elles évoquent la vie de Jésus, depuis ses ori-
gines terrestres jusqu'à sa fin divine. Les autres verrières ont
été conçues au XIIIe siècle. Offertes par des rois, des nobles,
ou des confréries (les aubergistes, les porteurs d'eau…),
elles racontent souvent la vie des saints. Notre-Dame de la
belle Verrière date de la toute fin du XIIe et du tout début du
XIIIe siècle. L'on y voit une haute Vierge à l'enfant, assise
sur un trône. Les rosaces nord et sud sont également remarquables avec leurs vitraux de formes variées et notamment
des carrés, très rares.

La cathédrale Notre-Dame

Portail royal,
signes du Zodiaque
*The royal portal,
signs of the zodiac*

Détail statuaire,
portail nord
« La Création »
*Detail of "The
Creation" statuary
in the north portal*

*The Saint-Piat chapel, at the southeast end of the chevet,
and the north tower, came after the XIIIth-century rebuilding work. The so-called new steeple was built by the architect
Jehan de Beauce in the early XVIth century, as was the clock
tower that can be seen outside on the north aisle. The choir
was modified in the XVIIth and XVIIIth centuries.*

*The vast nave sits atop stout, exposed buttresses that are
themselves topped by three series of flying buttresses. The
building includes three sets of doors: the royal portal, the
south portal and the north portal. The royal portal was built
in the XIIth century, as were its three crowning stained-glass
windows, and is adorned with a number of statues: in the
centre, in the tympanum, the arching and on the lintel are
Christ triumphant, the four Evangelists and the old men
of the Apocalypse; on the left are sculptures depicting the
Ascension of Christ, the signs of the zodiac and the tilling*

Ces vitraux ont tous été déposés pendant la Seconde
Guerre mondiale. C'est à cette précaution que l'on doit
leur préservation.

L'une des chapelles du chœur enferme une relique du voile
de la Vierge cadeau du roi de France Charles le Chauve en
876.

La cathédrale est inscrite au patrimoine mondial de l'Unesco
depuis 1979. Elle est ouverte toute l'année de 8 h 30 à 19 h 30.
Visite guidée en français à 14 h 30, de novembre à fin mars ;
et à 10 h 30 (sauf dimanche et lundi) et 15 h d'avril à fin
octobre. Visites audio guidées en plusieurs langues. Visite de
la crypte toute l'année du lundi au samedi à 11 h, d'avril à
octobre du lundi au dimanche à 14 h 15, 15 h 30 et 16 h 30 ;
de mi juin à mi septembre tous les jours à 17 h 15. Visite du
clocher nord tous les jours sauf le dimanche matin.

of the land; the statuary on the right is devoted to the Virgin and to the arts and subjects taught at the school in Chartres during the Middle Ages. The doorways are lined with jamb statues of kings, queens and prophets whose identities remain uncertain.

From time immemorial, Chartres cathedral has been dedicated to Mary, and the Virgin is depicted here 176 times in all mediums: statues, stained-glass windows, etc.

The building is easily recognisable from its green copper-clad roof, but is famed first and foremost for its stained-glass windows, the most complete set of preserved old stained glass in France. The three windows above the royal portal date from the XIIth century and were crafted using the famous cobalt-based "Chartres blue". They depict the life of Christ, from His earthly beginnings to His divine end. The other windows were designed in the XIIIth century. The windows were gifts donated by kings, noblemen or guilds (innkeepers, water carriers, etc) and often tell the lives of the saints. One such window is Notre-Dame de la Belle Verrière (Our Lady of the Beautiful Window) from the very late XIIth and very early XIIIth centuries, which shows the Virgin and Child seated on a throne. The north and south rose windows also offer a spectacular sight in a range of differently shaped stained-glass panels, in particular very rare square sections.

Le pavillon du 16ᵉ siècle avec son horlóge à une seule aiguille
The 16th-century clock house and the clock with one hand

La cathédrale Notre-Dame

Vitrail « Arbre de Jessé »
"Tree of Jesse" window

Vitrail « La Nativité »
"The Nativity" window

Vitrail « Les Rois Mages »
"The Wise Men" window

Chartres et les pèlerinages

Haut lieu de la chrétienté, Chartres accueille des pèlerinages depuis la fin du IXe siècle. Désormais, les plus fréquentés ont lieu à la Pentecôte : les fidèles de l'Église de Monseigneur Lefebvre quittent Chartres pour rejoindre Montmartre à pied. Et les traditionalistes de l'Église catholique effectuent le trajet inverse et aboutissent, épuisés, à la cathédrale pour la célébration finale du lundi de Pentecôte qui rassemble près de 10.000 personnes. Le pèlerinage des étudiants, moins physique (on y marche une quinzaine de kilomètres pour atteindre la cathédrale) attire 3 à 5.000 jeunes gens le dimanche des Rameaux. En mai, le pèlerinage des Tamouls de France et du nord de l'Europe occasionne un défilé de chrétiens aux tenues bigarrées au pied de Notre-Dame du pilier.

Chartres and the pilgrimages

Chartres is a focal point for the Christian religion and has been host to pilgrimages since the late IXth century. Nowadays, the most popular pilgrimages take place at Whitsuntide: the faithful from the church of His Grace Lefebvre leave Chartres to walk to Montmartre. Traditionalists in the Catholic Church make the journey in reverse, arriving exhausted at the cathedral for the final celebrations of Whit Monday in the company of almost 10,000 people. Three to five thousand young people are attracted to the students' pilgrimage every Palm Sunday. In May, a pilgrimage of Tamils from France and northern Europe brings a long line of Christians in multi-coloured clothes to the foot of the statue of Notre-Dame du Pilier (Our Lady of the Pillar).

L'église Saint-Pierre

Le chevet
de Saint-Pierre à gauche
et, au centre, le clocher
de la Cathédrale

*On the left, the chevet
of the église Saint-Pierre
and in the centre the
cathedral steeple*

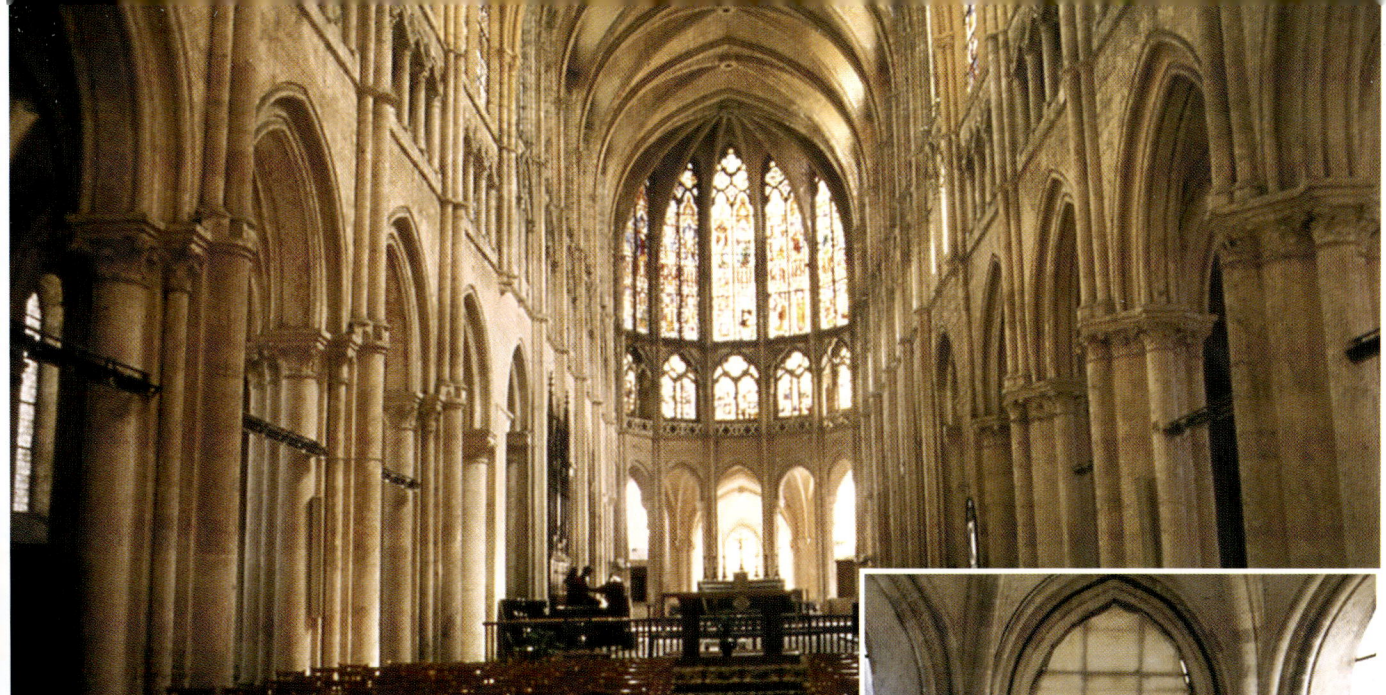

Vue intérieure / *View from inside*

A vant la Révolution, cette église était le cœur de l'abbaye Saint-Père fondée avant le VIIᵉ siècle. L'église actuelle est plus récente. Son beffroi, par lequel on pénètre à l'intérieur des lieux, date du XIᵉ siècle. Il avait une vocation défensive à une époque où l'abbaye était située à l'extérieur des remparts qui encerclaient Chartres. Le reste du bâtiment, reconstruit après l'incendie dévastateur de 1077, est considéré comme un chef d'œuvre d'art gothique : le chœur comporte des vitraux datant de différentes époques, la nef étant dotée de verrières du XIVᵉ siècle particulièrement intéressantes. L'abside et le déambulatoire ont été construits au XIIᵉ siècle, la nef et les bas-côtés lors de la première moitié du XIIIᵉ siècle, les parties hautes du chœur et le chevet lors de la seconde moitié du XIIIᵉ, les chapelles Saint-Marc et Saint-Benoît au XVIIᵉ siècle.

A la Révolution, l'église a été confisquée et a servi de fabrique de salpêtre, avant d'être rendue au culte en 1803.

Statue de la Sainte-Vierge
Statue of the Holy Virgin

L'église Saint-Pierre

P rior to the French Revolution, the church of Saint Peter formed the heart of the pre-VIIth-century abbaye Saint-Père. The church as we see it today dates from more recent times. The belfry leading into the church is from the XIth century and was built for defence at a time when the abbey lay outside the ramparts encircling Chartres. The rest of the building was reconstructed after the devastating fire of 1077 and is considered to be a masterpiece of Gothic art: the stained glass in the choir dates from various eras and the nave boasts particularly interesting XIVth-century windows.

The apse and ambulatory were built in the XIIth century, the nave and side aisles in the first half of the XIIIth century, the upper sections of the choir together with the chevet in the second half of the XIIIth century, and the Saint-Marc and Saint-Benoît chapels in the XVIIth century.

Le chœur / *The choir*

La collégiale Saint-André

L'édifice actuel n'est qu'une partie de l'ancienne église dont le chœur était situé au dessus de la rivière. Une arche enjambait l'Eure. On en distingue encore le démarrage sur la façade extérieure qui borde le cours d'eau. Le bâtiment date du XIIᵉ siècle et a été reconstruit sur les ruines de l'église primitive détruite par un incendie. Agrandie et embellie aux siècles suivants, la collégiale (car sous la responsabilité d'un collège de chanoines) a été fermée au culte à la Révolution. Au début du XIXᵉ, l'arche qui supportait le chœur a dû être détruite pour des raisons de sécurité tout comme la flèche qui la surplombait. Le site a subi deux incendies en 1861, puis en 1944, qui ont achevé de dégrader un lieu pourtant superbe au XVIIᵉ siècle.

Le petit jardin qui sépare la grille d'entrée du porche de la collégiale occupe l'emplacement de l'ancien cimetière d'enfants.

La collégiale vient de retrouver sa toiture originelle (de hauteur et d'envergure), avec une charpente entièrement en bois, et ce à l'issue de deux ans de travaux. Le lieu accueille des manifestations culturelles et doit bénéficier encore de travaux pour en améliorer son confort.

The collegiate church of Saint-André

*T*he current edifice only offers a glimpse of the former church that once had the choir positioned over water on an arch straddling the river Eure. The faint outline of the foot of this arch can still be seen today on the outer wall that runs alongside the river. The church dates back to the XIIth century when it was built over the ruins of a pagan church that was destroyed by fire. In the centuries that followed, the collegiate church (run by a college of canons) was extended and embellished before being closed to worship at the time of the French Revolution. The arch suspending the choir above the river had to be pulled down for safety reasons in the early part of the XIXth century, as did the spire that once loomed over the scene. The site has been struck by two fires, the first in 1861 and the second in 1944, which brought the final blow to the prestige of what, in the XVIIth century, was a magnificent church.

The original roof design (span and height) has recently been restored, using a frame made entirely of wood, after work lasting two years. The church now plays host to cultural events.

L'église Saint-Aignan

En pénétrant dans la petite église Saint-Aignan, on ne s'attend pas à ces décors polychromes aussi surprenants que magnifiques. Nef, murs, piliers, charpente et voûte sont entièrement recouverts de décorations aux tons ocre, or, vert et carmin : ces guirlandes colorées de fleurs et figures géométriques ont été réalisées dans les années 1870, non sans discussions préalables. L'église Saint-Aignan est bâtie à flanc de coteau. Détruite lors d'un incendie en 1262, elle a été reconstruite à la fin du XIIIᵉ siècle, renforcée par des contreforts au siècle suivant, puis agrandie à partir du XVIᵉ siècle : la reconstruction du mur pignon date de cette époque tout comme les travées ouest. La nef a été bâtie au XVIIᵉ siècle, ainsi que le petit clocher. A la Révolution, l'église a servi d'hôpital, de prison militaire et de magasin à fourrage. Elle a repris ses fonctions religieuses en 1823. Au XIXᵉ siècle, outre la décoration polychrome, l'église Saint-Aignan a été dotée de vitraux réalisés par les ateliers chartrains Lorin : l'un d'eux montre Aignan, cinquième évêque de Chartres et fondateur de la plus ancienne paroisse de Chartres, entrant dans sa ville, triomphant.

L'église Saint-Aignan

Visitors stepping into the little church of Saint-Aignan unexpectedly find themselves surrounded by a multi-coloured decor that is as surprising as it is wonderful. The nave, walls, pillars, timber frames and vaults are covered in ochre, gold, green and crimson murals: colourful frescoes of flowers and geometrical figures that were added in the 1870s after much debate. Saint-Aignan church is built on a hillside. It was destroyed by fire in 1262, rebuilt at the end of the XIIIth century, strengthened by buttresses added in the following century, and then extended from the XVIth century onwards when the gable wall and the bays on the west side were rebuilt. The nave and small steeple are both XVIIth century. The church was used as a hospital, military prison and hay store during the French Revolution, taking up its religious offices again in 1823.

L'église Saint-Martin-au-Val

Date de l'époque romane dont elle a gardé certaines caractéristiques (chœur surélevé, arcs rehaussés). Elle était à l'origine une partie du monastère de Saint-Martin-au-Val dédié à Saint-Martin de Tours. Elle a été restaurée au XVIIᵉ puis au XIXᵉ siècle dont datent les deux tourelles qui entourent la façade. Dans la crypte, de nombreux éléments sont d'époque mérovingienne, notamment des sarcophages de pierre qui abritèrent des sépultures d'évêques. En très mauvais état, l'église est fermée au public en attendant des travaux d'envergure, sur sa toiture notamment. Il est prévu qu'une fois restaurée, elle accueille des animations culturelles.

L'église Saint-Martin-au-Val

The church of Saint-Martin-au-Val dates from the Romanesque period and has retained some of the typical features of this style (e.g. raised choir, extended arches). It was originally part of the monastery of Saint-Martin-au-Val, which was dedicated to Saint Martin of Tours. It was restored in the XVIIth and then the XIXth century when the two turrets were built. The crypt contains a number of items from the Merovingian era, most notably stone sarcophagi housing bishops' tombs.

L'antenne universitaire

Les étudiants du Deug de sciences occupent depuis 1999 l'ancienne caserne Marceau. Construit en 1876, le site a été occupé par l'armée jusqu'en 1996. Son bâtiment principal a subi des travaux gigantesques de réhabilitation et transformation entre 1998 et 1999. La structure extérieure est restée en l'état. Elle a été agrémentée de larges baies vitrées laissant entrer la lumière. Et tout l'intérieur a été modifié. Deux escaliers ont été ajoutés en bout de bâtiment et un amphithéâtre construit. Le résultat, que l'on peut admirer en se baladant dans le quartier des Comtesses, est superbe.

The university outpost

First- and second-year science students have been resident at the former Marceau barracks since 1999. The site was built in 1876 and was used by the army until 1996. The main building underwent massive renovation and alteration work in 1998 and 1999, while the outer structure was left in its original state. Large plate glass windows have been added to let in the light.

Le cloître des Cordeliers

Derrière les façades des numéros 20 à 30 de la rue Saint-Michel, se trouve un cloître du XVIᵉ siècle. Il est un vestige de l'ancien couvent des Franciscains appelés Cordeliers en raison de la cordelette qui enserrait leur taille. Le cloître, inscrit à l'inventaire supplémentaire des Monuments historiques, est composé de trois ailes. Il a été restauré entre 2000 et 2003 pour accueillir l'école nationale de musique et de danse.

Il a, par conséquent, retrouvé une belle allure extérieure, même si l'intérieur a été complètement remodelé. Le site avait auparavant servi de réfectoire au lycée Marceau situé en contrebas de la rue Saint-Michel. Il avait perdu sa vocation religieuse à la Révolution et été utilisé comme lieu d'enseignement dès le XIXᵉ siècle.

Le cloître des Cordeliers

Behind the walls of numbers 20 to 30 rue Saint-Michel lies a XVIth-century cloister, the remains of a former monastery for Franciscan monks, who were called Cordeliers because of the rope cord they wore as a belt. The cloister, listed in France's additional inventory of historical monuments, consists of three wings. It was restored between 2000 and 2003 before becoming the home of the Ecole nationale de musique et de danse (National School of Music and Dance). This restoration work recreated the cloister's impressive outer appearance, although the interior was completely redesigned. The cloister's religious office came to an end with the French Revolution and it was used as a teaching establishment from the XIXth century.

L'enclos de Loëns

Datant du XIIIe siècle, l'enclos de Loëns a été utilisé jusqu'à la Révolution comme grange aux dîmes. On y entreposait l'impôt en nature (un dixième de la récolte) payé par les paysans. Le vin trouvait abri dans le cellier, et les grains dans le grenier. Le cellier est accessible, depuis la cour, par un escalier pentu et une porte du XIIIe siècle. Il est composé d'une magnifique salle à trois nefs voûtées sur croisées d'ogives soutenues par douze colonnes aux chapiteaux sculptés.

Le grenier, reconnaissable à ses trois pignons, abrite aujourd'hui le centre international du vitrail, lieu unique au monde pour qui s'intéresse à la technique du vitrail, à son évolution et aux créations contemporaines. Des stages, pour les professionnels ou les amateurs, sont dispensés en ces lieux qui accueillent aussi toute l'année des expositions de grande qualité. Plus de 34.000 visiteurs sont recensés chaque année. Ouvert tous les jours et toute l'année.

Le centre international du vitrail
The International Stained-Glass Centre

L'enclos de Loëns

Before the French Revolution, the XIIIth-century enclos de Loëns (or Loëns enclosure) was used as a tithe barn for storing the tax paid in kind (one tenth of the harvest) by farmers. Wine was put safely away in the storeroom, while the grain was kept in the loft. The storeroom can be reached from the courtyard via a sloping stairway and XIIIth-century door, which lead on to this magnificent room with three arched naves on ribbed vaults supported by twelve columns with sculptured capitals. The loft, with its three gables, is today home to the International Stained-Glass Centre, the only place of its kind in the world for anyone with an interest in stained-glass work, how the art developed and contemporary designs. Workshops are held here for enthusiasts and professionals alike, and it is also the venue for high-quality shows all year round. The Centre receives over 34,000 visitors every year. Open all days throughout the year.

L'ancien Palais épiscopal

Il occupe le même emplacement depuis sans doute le XIIe siècle mais les bâtiments les plus anciens encore en place ne datent que de la fin du Moyen Âge. C'est l'évêque Léonor d'Etampes qui lance les grands travaux de rénovation du palais médiéval pendant son épiscopat, entre 1620 et 1641. Mais c'est surtout au XVIIIe siècle que les travaux donnent au Palais l'allure qu'on lui connaît aujourd'hui grâce à Monseigneur Godet des Marais puis Monseigneur de Fleury qui s'attache aussi à aménager les jardins.

Le Palais devient bien national en 1792 et sa destinée est alors chaotique : siège du département, préfecture, puis à nouveau évêché entre 1821 et 1905, lieu de cantonnement de soldats de la Première Guerre mondiale et enfin, après une longue période d'abandon, Musée des Beaux-Arts à partir de 1948. Bien que les bâtiments aient été classés parmi les monuments historiques en 1906, ils ont subi de nombreuses dégradations : destruction de la galerie menant de la cathédrale au palais, détérioration des boiseries et décorations. Malgré cela, les lieux sont admirables et gardent de leur destination première une atmosphère incomparable.

Musée des Beaux-Arts, arrière du bâtiment
The Museum of Fine Arts at the rear of the building

The former bishop's palace

The former palace of the bishops has stood at the same site since probably the XIIth century, but the oldest surviving buildings only date from the late Middle Ages. Major renovation work was started on this medieval palace on the initiative of Léonor d'Etampes when he was bishop between 1620 and 1641, but the Palace owes its current appearance mainly to work carried out in the XVIIIth century at the behest of Monseigneur Godet des Marais and then Monseigneur de Fleury, with the latter also working to produce the layout of the gardens.

The Palace became state property in 1792, and has been reincarnated into a number of disparate guises ever since: the main administrative offices for the Eure-et-Loir, the prefecture, the bishop's palace again from 1821 to 1905, a billeting post for soldiers during World War One, and now, after a long period of disuse, it is the Museum of Fine Arts, a role it has performed since 1948.

The Palace became a listed building in 1906 but this did not stop it suffering extensive damage: the gallery running between the cathedral and the palace was destroyed and the wainscoting and decorations fell into disrepair. Yet despite this, the site remains impressive and has retained its own unique character that reflects its original purpose.

Le Musée des Beaux-Arts

Musée des Beaux-Arts
The Museum of Fine Arts

Le premier Musée qui ouvre ses portes en 1834 dans une des salles de l'Hôtel de Ville, à l'initiative du capitaine de Villiers est initialement composé de collections numismatiques, des tableaux dont « la mort de Marceau » par Bouchot, des éléments du Trésor de la cathédrale, mais surtout des collections de sciences naturelles. Les collections se développent rapidement, obligeant le maire à construire une aile annexe destinée au Musée, laquelle sera terminée en 1874 et continuera à accueillir de nombreux dons et acquisitions de très grande qualité et variété, dont « Sainte Lucie » de Zurbaran.

L'accroissement des collections rend nécessaire leur transfert à l'aube de la Seconde Guerre mondiale. Le Palais épiscopal, mis à disposition de la ville de Chartres par le département, accueille les objets dès 1938. La déclaration de guerre intervenant trois mois après l'inauguration du Musée, celui-ci doit fermer pour mettre les collections à l'abri. Il ne rouvrira définitivement qu'en 1948.

Les collections exposées au Musée reflètent la richesse et la variété des fonds qui se sont constitués depuis le début du XIXe siècle et se confortent encore actuellement : fonds océanien, instruments de musique anciens, ensemble d'œuvres de Vlaminck, fonds Navarre, peintures françaises et hollandaises, ethnographie locale, art contemporain, objets religieux…

Ouvert tous les jours sauf le mardi et dimanche matin.

The Museum of Fine Arts

The first museum, which opened in 1834 on the initiative of captain de Villiers and was located in a room in the town hall, initially showed collections of coins and medals, paintings, including Bouchot's "la mort de Marceau", items from the Cathedral's treasures, but most of all natural science collections. The collections grew at a rapid rate, forcing the mayor to have a wing built especially for the museum. Work was completed in 1874 and the new wing went on to amass a large store of purchased and donated pieces of very high quality such as Zurbaran's "Saint Lucy". The growing number of collections meant that by the time World War Two approached they had to be relocated again. The Bishop's Palace, which had been handed over to the town of Chartres by the Eure-et-Loir Council, took custody of the items in 1938. The Museum had to close only three months after its inauguration in order to safeguard its collections following the declaration of war, and it would only open again on a permanent basis in 1948. The exhibits on show at the museum reflect the depth and variety of the collections that have been built up since the early XIXth century and which are still being complemented: ocean collection, antique musical instruments, a series of works by Vlaminck, a Navarre collection, French and Dutch paintings, local ethnography, contemporary art, religious artefacts, and more.

L'hôtel Montescot - Hôtel de ville

L'hôtel de ville de Chartres compte deux bâtiments d'allure et d'époque très différentes : une extension place des Halles, construite en 1960, comportant l'entrée principale, l'escalier d'honneur, le salon Marceau et son immense peinture du fameux général ; et un bâtiment beaucoup plus ancien, à l'arrière du premier, l'hôtel Montescot. Il porte le nom de celui qui le fit construire, et la date de son achèvement : 1614. Bâti en pierre et en brique, l'ancien hôtel particulier s'ouvre d'un côté par trois portes sur une cour pavée, et de l'autre sur un petit jardin à la française. Il est le siège de l'hôtel de ville depuis 1792 et propriété municipale depuis 1824.

Au rez-de-chaussée, se trouve la salle des mariages, utilisée à une époque pour les séances de conseil municipal, avec un magnifique plafond peint datant du XVIIe siècle.

L'hôtel Montescot

Chartres' town hall is made up of two buildings with two very different styles and from two very different periods: an extension in the place des Halles, built in 1960 and consisting of the main entrance, the grand staircase and the Marceau room with its gigantic painting of the general of the same name; and the hôtel Montescot, an altogether much older building, located behind the first and which bears the name of the man who built it and the date it was completed: 1614. This former town house is built from stone and brick, and on one side opens on to a courtyard via three doors, while the other side leads on to a small formal garden. It has been home to the town hall since 1792 and became council property in 1824. The ground floor contains the register office, which at one time was used to host town council meetings and includes a splendid painted ceiling from the XVIIth century.

L'ancien hôtel de la Poste

Il paraît que certains touristes prennent parfois ce joli bâtiment pour la cathédrale. Il est vrai que cet immeuble du début du XXᵉ siècle, que l'on doit à l'architecte Raoul Brandon a fière allure. Depuis sa construction, au début des années 1920, jusqu'à 2005, ce site classé monument historique appartenait et hébergeait la poste de Chartres. La ville a racheté les lieux pour les transformer en espace culturel. Elle a confié les plans à un autre architecte de renom Paul Chemetov. A l'horizon 2007, on ne devrait plus confondre ce bâtiment, qui sera muni d'une verrière, avec la cathédrale sur laquelle il offrira un superbe point de vue.

The former Post Office

Some tourists apparently mistake the charming edifice of this former post office for the cathedral. It is true that this early-XXth-century structure by the architect Raoul Brandon does have a proud bearing. It is now a listed building that belonged to and housed Chartres post office from the time it was built in the early 1920s up until 2005, when it was bought by the town to be turned into a cultural venue. The project has been handed to another renowned architect, Paul Chemetov, and come 2007 when it will have a glass wall, this building should no longer be confused with the cathedral on to which it will give a superb view.

Le théâtre à l'italienne

Œuvre de l'architecte Piébourg, le théâtre de Chartres date de la deuxième moitié du XIXᵉ siècle. Il a été inauguré le 28 avril 1861, après quinze mois de travaux dans un site qui ne faisait pas l'unanimité. L'endroit ressemblait à un vaste terrain vague, devenu ensuite partie du riche quartier Chanzy, fleuron de l'architecture du XIXᵉ siècle. L'intérieur du théâtre comporte toutes les caractéristiques du théâtre classique à l'italienne : une scène légèrement inclinée, un parterre destiné, à l'origine, aux personnalités locales, un balcon avec loges au premier, un deuxième étage réservé aux classes moyennes ; et un poulailler pour le petit peuple. De grands artistes ont foulé la scène chartraine : Sarah Bernard, Bourvil, Romy Schneider, Michel Bouquet…

The Italian theatre

Chartres' theatre, by the architect Piébourg, dates from the second half of the XIXth century. It was opened on the 28th April 1861 after fifteen months of building work. The location did not enjoy unanimous approval, resembling as it did a vast wasteland, but it was later to become part of the wealthy Chanzy district, a gem of XIXth-century architecture. The theatre's interior design is rich with features from the classic Italian theatre style: a slightly sloping stage, stalls originally intended for important local figures, a balcony with boxes in the lower circle, a second level solely for the middle classes, and the gods for the lower classes.

La Maison Picassiette

Elle est, après la cathédrale, le lieu le plus visité de Chartres. Raymond Isidore, dit Picassiette, était un modeste employé municipal, qui vécut là entre 1930 et 1964. Un beau jour de 1938, il a commencé à ramasser des débris de verre et de vaisselle, parce que les couleurs lui plaisaient. Il en a composé une première mosaïque sur un mur, à l'intérieur de sa maison.

Et il n'a ensuite plus cessé jusqu'à sa mort. A l'intérieur de la maisonnette dans laquelle il vivait avec sa famille, il n'a pas laissé un centimètre carré de disponible : murs, lit, chaises, tout a été recouvert de mosaïques.

Dehors, il a composé un ensemble de fresques religieuses, construit une chapelle, multiplié les représentations de cathédrales. Celle qu'il aimait par-dessus tout, Notre-Dame de Chartres, est mise en évidence. La ville, sa ville, l'a également beaucoup inspiré. Dans son jardin, il a construit et décoré un trône sur lequel, assis, il pouvait contempler Chartres sans sortir de chez lui.

La Maison Picassiette a été achetée par la ville en 1981 et reconnue monument historique en 1983. Le quartier qui l'entoure s'est forgé une véritable identité autour de la mosaïque. Tous les deux ans, la régie de quartier organise une exposition internationale et accueille des spécialistes mondiaux de cet art séculaire. Visite d'avril à octobre.

La Maison Picassiette

La Maison Picassiette is the most visited monument in Chartres after the cathedral. The house was once home to Raymond Isidore, nicknamed Picassiette, a modest council employee who lived here between 1930 and 1964. One day in 1938, he began to collect broken pieces of glass and crockery. He built his first mosaic on a wall inside the house. And then he continued doing the same again and again up until his death. Not one square centimetre was left uncovered inside the small house where he lived with his family: walls, bed, chairs, everything was covered in mosaics. Outside, he crafted a series of religious frescoes, built a chapel and created numerous copies of cathedrals. Notre-Dame in Chartres, by far his favourite cathedral, features prominently. He was greatly inspired by his town as a whole, building and decorating a throne in his garden from which to look out on Chartres without actually having to leave the garden. La Maison Picassiette was bought by the town in 1981 and became a listed monument in 1983. The surrounding neighbourhood has built up an identity of its own around the mosaic works. Every two years, the neighbourhood committee holds an international exhibition and plays host to specialists in this age-old art from around the world. Visit April at October.

Il fait bon se poser sur les bords de l'Eure…
How nice it is to tarry by the side of the Eure…

La basse ville et les bords de l'Eure

Maison à pans de bois, rue aux cois
Timber-framed house in rue aux Cois

Le débarcadère du Rigeard.
The Rigeard landing stage.

Vue depuis la passerelle des Trois-moulins
View at footbridge of the three mills

La basse ville de Chartres est un enchantement. Le long du fossé, bras de l'Eure qui longe les boulevards, se succèdent des demeures au charme discret et les vestiges du rempart médiéval… De cette promenade protégée par les marronniers immenses, l'on profite d'une vue magnifique sur l'arrière de la cathédrale.

A l'intérieur de ce qui fut la ville fortifiée, l'on observe des maisons aux toits de tuiles pentus, des tertres étroits qui montent vers la cathédrale, des façades colorées, des petits ponts de pierre trapus, des lavoirs coquets, des massifs de fleurs colorés, des placettes, des chemins piétonniers et l'Eure qui coule paisiblement au pied de toutes ces beautés. C'est là que se trouvent les plus anciennes maisons chartraines. Et aussi les plus belles, avec colombages ou sculptures. Celle de la rue Chantault, près de la collégiale Saint-André, date du XIIᵉ siècle. L'escalier de la Reine Berthe, au bas de la rue pavée des Ecuyers, a été construit au XVIᵉ siècle, rénové au milieu des années 1990. La maison du Saumon, place de la Poissonnerie, date aussi du XVIᵉ siècle.

Ces quartiers chartrains ont longtemps abrité le petit peuple : artisans au Moyen Âge, ouvriers au siècle dernier. Après la campagne de rénovation des années 1970, des populations plus aisées se sont installées.

The lower town and the banks of the Eure

The lower part of Chartres is a wonderful place. Houses with a quiet charm intermingle with the remains of the ramparts along the branch of the Eure that borders the boulevards… This stroll underneath the umbrella of massive chestnut trees provides an opportunity to enjoy a magnificent view of the back of the cathedral.

Inside what was once the fortified town, visitors can see houses with sloping tile roofs, narrow knolls that climb towards the cathedral, colourful façades, small squat stone bridges, pretty wash houses, banks of colourful flowers, convivial squares, footpaths, and the Eure as it flows gently by at the foot of all this beauty.

The oldest houses in Chartres are here too. The most beautiful as well, with half-timbered fronts and sculptures. The house in rue Chantault, near the collegiate church of Saint André, dates from the XIIth century. The Escalier de la Reine Berthe (Queen Bertha Stairway) at the end of the cobbled rue des Ecuyers was built in the XVIth century and renovated in the mid 1990s. The Maison du Saumon in the Place de la Poissonnerie is also XVIth century.

These areas of Chartres were, for a long time, home to the lower classes: craftsmen during the Middle Ages and labourers from the last century. The more well off moved into the area following renovation work in the 1970s.

Maison du saumon
Maison du saumon

Sur le pont Bouju, vers la Porte Guillaume - *View from the pont Bouju, looking towards Porte Guillaume*

Rue des Ecuyers

Rue des Ecuyers

Le petit Chart'Train

En route pour un tour de ville !
All aboard for a trip around town!

Pas de voix enregistrée ni de commentaires monocordes dans ce petit train touristique. Le conducteur personnalise ses explications en fonction du public. Trilingue, il décline ses textes en anglais et espagnol si besoin. En une demi-heure, son véhicule blanc sillonne les rues pentues et étroites de la vieille ville, longe les bords de l'Eure et remonte au pied de la cathédrale. Commentaires historiques, anecdotes humoristiques : la visite n'est ni ennuyeuse, ni longue, ni fatigante. Le petit Chart'Train fonctionne de fin mars à début novembre.

Chart'Train

There are no taped voices or monotonous deliveries on this tourist train as the trilingual driver adapts his commentary to the passengers, in French, English or Spanish, while the white train winds its way for half an hour through the narrow, sloping streets of the old town, along the banks of the Eure and back up to the cathedral. With its historical explanations and humorous anecdotes, the journey is never boring, tiring or long. The Chart'Train service runs from the end of March to early November.

Les marchés du centre ville

Fromagers aux étals copieusement garnis, charcutiers renommés, fruits, légumes et laitages biologiques, petits producteurs locaux, gros revendeurs, marchands gouailleurs… Le marché alimentaire anime la place Billard tous les samedis matins. Les clients habitués se mêlent aux touristes amusés, les boulangeries environnantes débordent de monde et les terrasses des cafés voisins sont remplies de chalands ravis. Place du Cygne, c'est le marché aux fleurs qui donne des couleurs toute la journée du samedi : fleurs séchées, fleurs coupées, beaux bouquets, plantes en pots, coloquintes, fines herbes à planter… Un vrai jardin en centre ville.

The town centre markets

Place Billard is alive with the bustle of the food market that is held here every Saturday morning. The regulars mingle with the tourists who look on amused, the bakeries around the square overflow with shoppers and the neighbouring cafes are filled with delighted customers. Over in Place du Cygne, the Saturday flower market adorns the square with colour all day long as dried flowers, cut flowers, bouquets, pot plants, colocynths, aromatic herbs, etc, turn the town centre into a garden.

Marché aux fleurs, place du Cygne
Flower market in the Place du Cygne

Les Artisanales de Chartres

Tous les ans, un peu avant la mi-octobre, Chartrexpo, le parc des expositions, accueille les Artisanales. 400 exposants venus de la France entière, voire de l'étranger, vendent leurs produits finis ou effectuent des démonstrations de leur savoir-faire : forgerons, vanniers, potiers, graveurs, bouchers, coiffeurs, couvreurs, verriers, relieurs, horlogers, etc. travaillent en public quatre jours durant pour le plus grand bonheur des spectateurs, et des adolescents qui cherchent des idées pour leur futur métier. Véritable vitrine de l'artisanat contemporain, cet atelier géant attire environ 60.000 visiteurs par édition.

Les Artisanales de Chartres, The Chartres Arts and Crafts Fair

Every year just before mid October, Chartrexpo, the exhibition centre in Chartres, is the venue for the Artisanales arts and crafts fair, where 400 exhibitors from all over France and from abroad can sell their wares or give a demonstration of their skills. For four days, blacksmiths, basket makers, potters, engravers, butchers, hairdressers, roofers, glass artists, bookbinders, watchmakers and others have the opportunity to delight the public, and youngsters searching for ideas about their future profession, as they work in front of visitors. This giant workshop is a genuine showcase for contemporary crafts and attracts some 60,000 visitors every year.

La ville commerçante

A deux pas de la cathédrale, le centre ville commerçant s'étend dans une zone piétonne ou semi piétonne desservie par quatre parkings souterrains payants. De nombreuses enseignes nationales sont implantées en ces lieux stratégiques, aux côtés de commerces locaux de qualité : métiers de bouche, magasins de décoration, librairies, vêtements haut de gamme, prêt-à-porter pour tous les âges, photographes, restaurants… Certaines boutiques occupent des maisons remarquables, comme la maison de la voûte, place du Cygne ou le logis Claude Huve rue Noël-Ballay.

Shopping in Chartres

J ust a stone's throw from the cathedral is the commercial centre of the town, located in a pedestrian and semi-pedestrian precinct. A large number of national brand name stores can be found here, next to high-quality local businesses. Some of the shops occupy remarkable houses such as the Maison de la Voûte in the Place du Cygne or the logis Claude Huvé in rue Noël-Ballay.

L'hippodrome de Chartres

F leuron des sites hippiques de la région, la piste de Chartres est devenue l'antichambre de l'hippodrome de Vincennes. Plusieurs réunions PMU, avec les meilleurs trotteurs français, ont lieu tous les ans. Les courses sont organisées au printemps, de mars à mai, puis à l'automne, en octobre et novembre. L'anneau chartrain, d'où se dégage une superbe vue sur la cathédrale, a été entièrement refait en 2004. Les virages relevés favorisent la vitesse des chevaux tirant les sulkys. Un restaurant panoramique surplombe les tribunes.

Chartres racecourse

T he track at Chartres is the jewel among the region's racecourses, a stepping-stone before the hippodrome at Vincennes. Several race meetings are held here during the year, bringing together the best trotter horses in France. The course, which also gives a splendid view of the cathedral, was completely renovated in 2004. The banked turns particularly suit horses pulling sulkies. The restaurant provides a panoramic view over the stands.

Le conservatoire de l'agriculture

O uvert en 1990, le conservatoire de l'agriculture occupe une ancienne rotonde construite au début du XXe siècle. Dans cet antre où l'on réparait les locomotives à vapeur, sont exposés des machines et des outils agricoles datant de 1800 à 1950 (anciennes charrues, anciennes batteuses, anciens tracteurs français et américains…). Le lieu abrite aussi des expositions temporaires de grande qualité, souvent interactives, liées au monde rural, à l'environnement à l'alimentation. Quelques exemples : le café, le chocolat, le parfum, etc. Ouvert toute l'année.

Le conservatoire de l'agriculture

T he conservatoire de l'agriculture museum was opened in 1990 in an early-XXth-century railway engine shed. This grand exhibition hall was once used to repair steam locomotives but is now home to farm machinery and tools from 1800 to 1950, and includes such items as old ploughs and threshers, old French and American tractors, etc. High-quality temporary exhibitions are also held here, which are often interactive and relate to rural life, the environment or food.

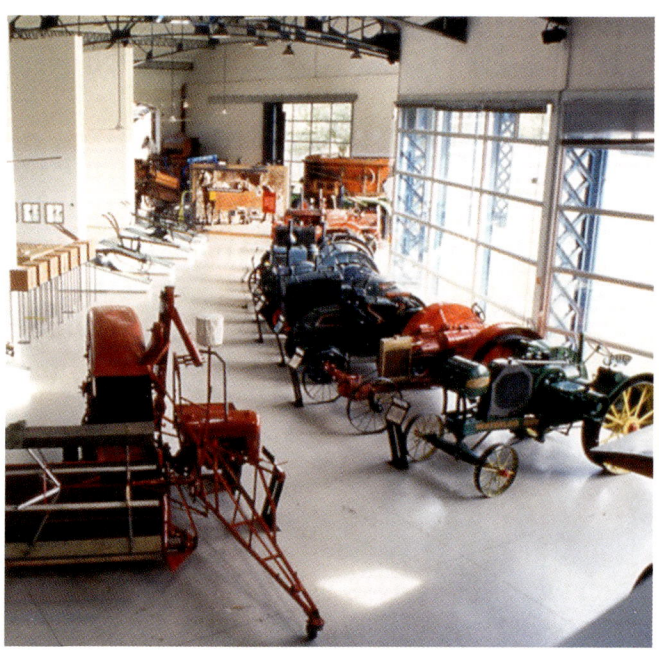

Les maîtres verriers

C hartres et son agglomération comptent une dizaine d'ateliers de maîtres verriers. Le plus ancien, Lorin, a été fondé au XIXe siècle, le long des bords de l'Eure, en basse ville. Le plus célèbre, celui de la famille Loire, a été conçu par Gabriel Loire, et produit des œuvres dans le monde entier. Ces artisans, parfois artistes, détiennent un savoir-faire ancestral et travaillent le vitrail selon les mêmes techniques qu'au Moyen Âge : dessin de la maquette, découpe du verre, assemblage, mise en plomb, cuisson des grisailles. Les uns restaurent des vitraux anciens des églises et cathédrales, les autres créent, pour des bâtiments publics ou des demeures privées.

Quelques exemples de créations contemporaines existent à Chartres : dalle de verre à l'intérieur de l'hôtel de ville et dans le hall de la gare, verre antique feuilleté à l'hôtel Dieu ou au lycée Silvia-Monfort de Luisant, etc. Des portes ouvertes dans plusieurs ateliers sont organisées un week-end par an fin mars ou début avril.

Le tour de mains du maître verrier
The skilled hands of the master glazier at work

Master glaziers

T here are ten or so master glaziers' studios in Chartres and its conurbation. The oldest is Lorin, which was established in the XIXth century on the banks of the Eure. The most famous was set up in the town of Lèves in 1946 by Gabriel Loire, who produces works all over the world. These craftsmen and artists possess an age-old knowledge and work the glass using the same techniques that were applied in medieval times: drawing the template, cutting the glass, assembly, lead glazing, firing the grisaille. Some of the studios restore old stained-glass windows in cathedrals and churches; others create works for public buildings and private residences.

Le délicat travail du maître verrier
The intricate work of the master glazier

Le parc André-Gagnon.
André Gagnon park.

Les parcs publics

Chartres compte trois beaux jardins publics. Le parc des Bords de l'Eure, dit aussi Petite Venise est sans doute le préféré des enfants. Car en plus des traditionnels toboggans et autres jeux à ressort, ils peuvent trouver ici des enclos à animaux (chèvres naines, lapins) et des volières emplies d'oiseaux (paons, poules de collection, faisans, etc.). Le mini golf attire les plus grands, tout comme les barques et le pédalo. Les espaces verts ne manquent pas de charme, avec leurs arbres centenaires et leur belle pelouse.

Le parc André-Gagnon, à deux pas de la gare, parc public depuis 1936, se divise en deux parties : l'une constituée de magnifiques massifs fleuris et d'une roseraie riche de plus de 60 variétés différentes ; et l'autre qui comprend de grandes pelouses avec de multiples jeux pour enfants et adolescents. Plus modeste, le jardin d'horticulture ou arboretum est davantage consacré à la flore, même si les canards et les jeux d'enfants en font aussi un square prisé des familles. Il comporte environ 180 arbres, de 77 espèces différentes. Les plus vieux datent des premières plantations dans les années 1880 (un ginkgo biloba de près de 5 m de diamètre).

Public parks

Chartres has three beautiful public gardens. Le Parc des Bords de l'Eure, also known as the Petite Venise or Little Venice, is easily the children's favourite as it offers not only traditional slides and rides but also animal pens (with pygmy goats, rabbits) and aviaries. The mini-golf appeals to older visitors, as do the boats and pedalos. The parklands themselves also have a great deal of charm, with their centuries-old trees and luxuriant lawns.

A short distance from the train station is Le Parc André-Gagnon, a public garden since 1936. It is split into two parts: one with glorious flower beds and a rose garden that boasts over 60 varieties; and one with expansive lawns that include a range of games for children and teenagers. On a smaller scale, le jardin d'horticulture or arboretum concentrates more on flora, although the ducks and children's games also make it a favourite family destination. The horticultural garden is home to around 180 trees from 77 different species. The oldest were among the first to be planted when the garden was established in the 1880s (one of the ginkgo biloba trees measures nearly 5 metres – over 16 ft – in diameter).

Les nouveaux boulevards

De gros travaux d'aménagements ont été entrepris dans le centre ville de Chartres depuis 2003. Un parking souterrain tout neuf s'étend désormais, entre la porte Saint-Michel, en haut du boulevard de la Courtille, et la place des Epars. En surface, la place de la voiture a été réduite et les piétons disposent de nouveaux espaces pour déambuler, s'asseoir, attendre le bus… Des massifs de fleurs, des arbres encore jeunes, des jets d'eau ont été implantés ou vont l'être le long de cette esplanade qui s'étire de la porte Saint-Michel à la place Châtelet, pour rendre les lieux encore plus agréables. A terme, un multiplexe cinématographique et une médiathèque prendront place le long de ces boulevards où s'élève depuis le XIXᵉ siècle un joli théâtre à l'italienne.

The new boulevards

Chartres town centre has been undergoing major development work since 2003. It now has a brand new underground car park stretching from Porte Saint-Michel at the top of boulevard de la Courtille to Place des Epars. On ground level, the space available to cars has been reduced and pedestrians have more space to stroll, sit down, wait for the bus, etc. Flower beds, saplings and water jets have been or will be added along this esplanade that runs from Porte Saint-Michel to Place Châtelet to provide an even more pleasant environment. In the long term, a multiplex cinema and a multimedia library are also planned for these boulevards.

L'église Saint-Pierre.
Church of Saint Pierre.

La place des halles.
The market square.

La halle Billard.
Billard market.

Chartres en lumières

D es tableaux lumineux fixes ou animés, très colorés, sont projetés de nuit sur les principaux monuments chartrains du printemps à l'automne. C'est l'occasion d'une belle balade tous les soirs dans le centre ville. La cathédrale, le Musée des beaux-arts, la collégiale Saint-André, l'église Saint-Pierre, l'église Saint-Aignan, l'hôtel Montescot, la place Marceau, la place du Cygne, la rue des Ecuyers entre autres se parent de compositions variées selon les lieux : succession de tableaux inspirés de peintres contemporains sur la collégiale, collage de scènes et sujets de la peinture flamande des XVᵉ et XVIᵉ siècles sur la façade de l'église Saint-Aignan, fresque historique en huit tableaux sur l'hôtel Montescot côté rue au Lin, silhouettes de cavaliers montés sur leurs chevaux rue des Ecuyers, superbe enchaînement de traits de lumière, de taches colorées, de sculptures projetées pour mettre en valeur l'architecture du portail royal de la cathédrale… La plupart des tableaux sont accompagnés d'une musique destinée à mettre le spectateur dans l'ambiance. Magique et splendide, l'animation se clôt à l'automne par la fête de la lumière où des sites patrimoniaux supplémentaires sont illuminés et où des spectacles grandioses s'emparent de toute la ville.

Le portail nord de la cathédrale.
The cathedral's north portal.

Chartres in lights

B *etween spring and autumn, the main monuments in Chartres are lit up at night with highly colourful, illuminated still and moving pictures: the perfect excuse to take a delightful stroll through the town centre. The cathedral, Museum of Fine Arts, Saint André collegiate church, the churches of Saint Pierre and Saint Aignan, hôtel Montescot, Place Marceau, Place du Cygne, rue des Ecuyers and others are cloaked in a range of compositions depending on the location: e.g. a procession of paintings inspired by contemporary painters projected on to the collegiate church, a collage of scenes and themes from XVth- and VXIth-century Flemish paintings on the front of the church of Saint Aignan, a historical fresco of eight paintings on the hôtel Montescot in rue au Lin, silhouettes of knights on horseback in rue des Ecuyers, a spectacular series of shafts of light, coloured spots and sculptures to enhance the architecture of the cathedral's royal portal. Most of the works are also set to music to add to the atmosphere.*

This superb, magical show ends with autumn's festival of light as more heritage sites are lit up and lavish displays engulf the whole town.

Dreux and the Royal Chapel

*T*he royal chapel in Dreux is a famous spot. The Duchess of Orléans, mother of the future king Louis-Philippe, had the chapel built on part of the ruins of the fortified castle that once stood here. Building began in 1816, but she died before it was finished and her son had the work continue until 1848, since when it has been home to the tombs of this royal family, Louis-Philippe first and foremost, and its descendants, including the count of Paris who died in 1999 and his wife, who died in 2003.

The chapel has a commanding view over the town from the middle of the park that contains the remains of the former castle of the counts of Dreux, and is built in the neoclassical style. The interior, wrought by the greatest craftsmen and artists of the

C hartres a sa cathédrale, Châteaudun et Nogent-le-Rotrou leur château et Dreux sa chapelle royale. C'est la duchesse d'Orléans, mère du futur roi Louis-Philippe, qui a fait construire cette chapelle, à partir de 1816, au milieu des ruines de l'ancien château fort.

Elle est morte avant la fin des travaux que son fils a fait poursuivre jusqu'en 1848. Depuis cette date, le site abrite les tombeaux de cette famille royale, Louis-Philippe en tête, et de ses descendants, jusqu'au comte de Paris décédé en 1999 et de son épouse décédée en 2003.

Le bâtiment de la chapelle, qui domine la ville au milieu du parc abritant les vestiges de l'ancien château des comtes de Dreux, est de style néo-classique. L'intérieur est d'une beauté remarquable, exécuté par les plus grands artisans et artistes du XIXe siècle avec des matériaux nobles. Au premier niveau, l'église et ses magnifiques vitraux, pièces uniques provenant de la manufacture de Sèvres ; deux cryptes occupent les sous-sols et abritent plusieurs dizaines de tombeaux. La plupart sont surmontés de gisants représentant le corps du défunt, véritables chefs-d'œuvre de marbre finement ciselé. Une merveille ! Visite d'avril à septembre fermeture le mardi.

La ville de Dreux comporte d'autres trésors, moins précieux, mais qui font le charme de son centre ville : maisons à pans de bois du XVe siècle, hôtels particuliers des XVIIe et XVIIIe siècles, beffroi construit au XVIe siècle et un tour des enfants trouvés du XIXe siècle dans l'ancien hôtel-dieu…

L'église Saint-Pierre a été érigée au début du XIIIe siècle. En grande partie détruite lors du siège de la ville en pleine Guerre de Cent ans (1421), elle a été reconstruite aux XVe et XVIe siècles (déambulatoire, chapelles de l'abside, nef, vitraux, façades, tours extérieures…) Elle possède un très bel orgue classé.

XIXth century using noble materials, is stunningly beautiful. On the first level is the church with its magnificent stained-glass windows, which are unique works from the studio in Sèvres; the basement contains two crypts holding several dozen tombs, most topped with recumbent statues representing the dead and which are masterpieces in finely chiselled marble. A marvel to behold! Open from April to September, closed on Tuesdays.

In the town of Dreux itself are three other gems, albeit less precious but which give the town centre its charm: timber-framed houses, town houses from the XVIIth and XVIIIth centuries, a XVIth-century belfry and a XIXth-century foundling wheel in the former hospital.

Saint Pierre church was built in the early XIIIth century. Most of it was later destroyed when the town was placed under siege in 1421 at the height of the Hundred Years' War, but was rebuilt in the XVth and XVIth centuries (ambulatory, apse chapels, nave, stained-glass windows, façades, external towers, etc). The church also contains a very beautiful listed organ.

Une intéressante illustration avec les principaux monuments
An interesting illustration showing the main monuments

Le Musée d'art et d'histoire offre aux visiteurs une collection de peintures et de sculptures avec des œuvres de Claude Monet, Henri Le Sidaner, Vernet, Pradier et de Vlaminck. Louis-Philippe, dernier roi des Français trouve aussi une place de choix. Des animations pédagogiques et des expositions temporaires font de ce musée un lieu dynamique de l'histoire de Dreux.

Dreux est riche également d'un musée du vignoble consacré à l'histoire de la vigne depuis le Moyen Âge et aux arts et traditions populaires. Ce musée est installé dans un ancien prieuré aux caves voûtées datant du XIIe siècle (visite toute l'année). Autre particularité : un musée automobile comportant des véhicules datant du début du XXe siècle (une Facel Vega, une ambulance de 1930, des autochenilles…). Visite le premier dimanche du mois.

Visitors to the art and history museum can see a series of paintings and sculptures that include works by Claude Monet, Henri Le Sidaner, Vernet, Pradier and de Vlaminck. Louis-Philippe, the last king of the French, also features strongly. Educational shows and temporary exhibitions ensure that the museum provides a vibrant look into Dreux's past.

Dreux is also blessed with a wine museum that tells the story of the vineyard since the Middle Ages and of popular arts and traditions. It is located in a former priory with vaulted cellars that dates back to the XIIth century. Another of Dreux's attractions is the automobile museum and its collection of cars that date back to the early XXth century (including a Facel-Vega, an ambulance from 1930, half-tracks and more).

Facel-Vega étoile filante de l'automobile

La marque prestigieuse que fut Facel-Vega, la voiture de sport des stars, est encore présente dans beaucoup de mémoires. On sait moins qu'elle fut créée dans notre département et que son sigle signifie : « Forges et Ateliers de Constructions d'Eure-et-Loir ». La société avait son siège et ses ateliers à Dreux, rue des Gaults. C'est Jean Daninos, le frère de l'écrivain, qui mena cette belle aventure de 1939 à 1965.

Facel-Vega, shooting star of the automobile industry

Facel Vega, the luxury car brand, sports car of the stars, still evokes many memories. What is less well known is that it was set up in the Eure-et-Loir and that Facel actually stands for "Forges et Ateliers de Constructions d'Eure-et-Loir" (Eure-et-Loir forge and manufacturing workshop). The company's head offices and workshops were located in rue des Gaults in Dreux. This great adventure was undertaken by Jean Daninos, brother of the famous writer Pierre Daninos, from 1939 to 1965.

Facel-Vega FV 3 élégamment présentée à Enghien le 15 juin 1957.
The Facel-Vega FV 3 on display in all its elegance at Enghien, 15th June 1957.

Nogent-le-Roi, cité médiévale et son château du XIXᵉ siècle

Maisons à pans de bois, décors sculptés sur les façades, ancien café au pignon penché... La cité de Nogent-le-Roi, en vallée de l'Eure, compte une quinzaine de bâtisses remarquables dans son centre bourg. Elles datent du Moyen Âge et du début de la Renaissance principalement. Ce patrimoine historique, qui voisine avec l'église Saint-Sulpice, reconstruite à partir de la fin du XVᵉ siècle, fait tout le charme de la commune.

Le château est beaucoup plus récent, construit sous le Second Empire, à la fin du XIXᵉ siècle. Il est entouré d'un parc de 91 hectares qui abrite une centaine de daims. La ville est propriétaire des lieux. Le château actuel a été bâti à l'emplacement d'une ancienne forteresse moyenâgeuse et d'un ancien château féodal où ont séjourné de nombreux souverains. Le roi de France Philippe VI est mort à Nogent-le-Roi en 1350. La princesse Jeanne de Valois, fille de Louis XI y est née en 1464. Une relique de sa robe est conservée dans l'église Saint-Sulpice.

The medieval town of Nogent-le-Roi and its XIXth century château

With its timber-framed houses, sculptured decorations on the front of the buildings, old cafe with the leaning gable, and more, the centre of Nogent-le-Roi, in the Eure valley, is home to fifteen or so remarkable buildings dating mainly from the medieval and early-Renaissance periods. This historical legacy is located near and around the church of Saint Sulpice, which was rebuilt from the late XVth century onwards, and imbues the commune with its charm.

The château is a much more recent construction, built at the time of the Second Empire in the late XIXth century. It sits in 91-hectare grounds that are also home to around a hundred deer. The site is owned by the town. The château was built over the site of a medieval fortress and a feudal castle where many sovereigns used to stay. King Philippe VI of France died in Nogent-le-Roi in 1350. Princess Jeanne de Valois, daughter of Louis XI, was born here in 1464. A relic of her dress is kept in the church of Saint Sulpice.

Le château d'Anet

Joyau architectural de style Renaissance, il a été construit entre 1547 et 1552. Diane de Poitiers, maîtresse du roi Henri II, a transformé le manoir qu'avait fait bâtir en ces lieux son époux Louis de Brézé, décédé. C'est l'architecte Philibert de l'Orme qui a dessiné les plans de ce nouveau palais : trois bâtiments en U, un superbe portail, une chapelle. Rois, princes, haute noblesse, artistes renommés ont séjourné dans ce château marqué partout de l'emblème de la belle Diane : trois croissants de lune entrelacés. Après la mort de la maîtresse des lieux, Anet a continué d'attirer des personnages influents jusqu'à la Révolution. Le château a été à cette époque saisi, et en partie détruit, le domaine (une centaine d'hectares) et le mobilier vendus. L'aile gauche, la chapelle et le portique qui s'ouvre sur la cour ont échappé aux dégâts. Au cours du XIXe siècle, puis du XXe, le site a été recomposé et restauré. Il est aujourd'hui visité par environ 30.000 personnes chaque année, de février à novembre.

The château in Anet

The château in Anet is an architectural jewel of the Renaissance style, built between 1547 and 1552. It was originally a manor, built by Louis de Brézé, which his widow Diane de Poitiers, mistress of King Henri II, subsequently had transformed. The blueprints for the new palace were designed by the architect Philibert de l'Orme: three buildings laid out in a U shape, a striking portal and a chapel. Kings, princes, nobility and famous artists have all stayed in this château that is filled with the sign of three interlaced crescents, the emblem of the beautiful Diane de Poitiers. Following the death of its mistress, Anet continued to attract influential figures up until the French Revolution, when the château was seized and partly destroyed. The left wing, the chapel and the portal leading into the courtyard escaped damage. The site was reconstructed and restored during the XIXth century and then again during the XXth century. Visit February at November.

Le château de Maintenon

Superbe, majestueux, magnifique : les superlatifs ne manquent pas pour qualifier le château de Maintenon qui s'élève au cœur de la ville. Le château a été construit au début du XVIᵉ siècle en lieu et place d'un château fort dont subsiste une tour carrée, monumentale, datant du XIIᵉ siècle. Françoise d'Aubigné, veuve du poète Scarron, maîtresse influente du roi Louis XIV, est devenue propriétaire du site en 1674. Celle qui prit le nom de Madame de Maintenon, épousa le roi en 1684 et fit ensuite régner une atmosphère austère et religieuse à la Cour, fit réaliser des travaux d'embellissement et d'agrandissement au château pendant une dizaine d'années.

André Le Nôtre, architecte et créateur du parc du château de Versailles, dessina celui de Maintenon. Un aqueduc inachevé domine ce parc, en fond de propriété. Louis XIV souhaitait que l'ouvrage, commencé en 1683, achemine les eaux de l'Eure jusqu'à Versailles. Ce qui ne fut jamais fait. En 1698, la marquise de Maintenon offrit le château à sa nièce, lors du mariage de celle-ci avec le duc de Noailles.

The château in Maintenon

*S*uperb, majestic, magnificent: the list of superlatives to describe the château soaring up from the centre of Maintenon is endless. It was built in the early XVIth century on top of a fortress of which a colossal XIIth-century square tower remains. Françoise d'Aubigné, widow of the poet Scarron and influential mistress of King Louis XIV, became the owner of the site in 1674. She took the name of Madame de Maintenon, married the king in 1684, subsequently installed an overridingly austere and religious atmosphere at the royal court, and over the course of a dozen years had the château embellished and extended.

André Le Nôtre, architect and the man who created the grounds at Versailles, also designed the grounds of the château in Maintenon. Looming high at the far end of the grounds is an unfinished aqueduct, begun in 1683, which Louis XIV intended to use to bring water from the river Eure to Versailles. But that was not to be. In 1698, the marchioness of Maintenon presented the château to her niece for her marriage to the duke of Noailles.

Le château de Maintenon

Le domaine appartient toujours à une descendante des Noailles, qui, avec son mari, ont œuvré depuis toujours pour maintenir le château en bon état, restaurer de nouvelles pièces pour les ouvrir à la visite, conserver les archives précieuses classées archives historiques en juin 2005. Cette famille vient de confier la gestion du château au département d'Eure-et-Loir qui espère voir augmenter le nombre de visiteurs du site dans les prochaines années (30.000 par an actuellement). Visite du 1er février au 23 décembre. Un golf jouxte le parc du château.

The estate still belongs to a descendant of the Noailles family who, together with her husband, has endeavoured to keep the château in a good state of repair. The family has recently handed over the running of the château to the Eure-et-Loir Council. A golf course lies next to the grounds.
Visit on February 1 at December 23.

La vallée de l'Eure

Etangs de pêcheurs bordés de rideaux d'arbres, riches manoirs aux poutres apparentes, et vieux moulins réhabilités qui s'élèvent derrière des grilles monumentales en fer forgé : la vallée de l'Eure en aval de Chartres offre des sites bucoliques où les amateurs de randonnée pédestre, à vélo ou équestre aiment à se promener. Ils y découvrent des lavoirs restaurés, des passerelles élégantes, des chemins boisés, des grottes nichées dans le côteau et des panoramas de verdure coquette qui se mire dans l'étroite rivière.

The Eure valley

Fishing lakes lined by a veil of trees, sumptuous country houses with exposed beams, and former mills, now restored, rising from behind gigantic wrought-iron gates: visitors to the Eure valley downstream from Chartres step into a world of idyllic rural charm where ramblers, cyclists and horse riders love to stroll. It takes them to restored wash houses, dainty footbridges, woodland paths, caves nestled in the hillsides and unrestricted views across neat green lands reflected in the waters of the narrow river.

Les anciennes forges de Dampierre-sur-Blévy

Construites au XVIIe siècle par le duc d'Enghien, ces forges ont été les plus importantes de France. On y produisait le fer et on le transformait sur un même site. Ses deux hauts-fourneaux accolés permettaient de couler de très grosses pièces. Hauts de plus de 6 mètres, ils ont produit notamment des pièces d'artillerie, et des tuyaux de fonte destinés à mener l'eau de l'Eure jusqu'à Versailles. L'activité des forges s'est éteinte progressivement entre la fin du XVIIIe siècle et 1870. Les hauts fourneaux, construits en grison et en silex, la chaussée de l'étang et la halle à charbon ont subsisté et sont classés monuments historiques. Ils se visitent quelques dimanches d'été et lors des journées du patrimoine.

The old forges at Dampierre-sur-Blévy

These forges, built in the XVIIth century by the duke of Enghien, were once the largest in France. The iron was made and then converted on the site. It had two blast furnaces placed side by side for casting very large pieces. The furnaces stood over 6 metres high and were used mainly to produce artillery and cast-iron pipes to carry water from the river Eure to Versailles. Activity at the forges gradually declined between the late XVIIIth century and 1870.

Le château de Maillebois

Manoir au XIVe siècle, il a été reconstruit à partir de 1421 par Jeanne le Baveux. L'un de ses descendants, surintendant du roi Henri IV, transforma cette demeure féodale en un château de briques aux vastes fenêtres. Le parc fut agrandi aux XVIIe et XVIIIe siècles et le château enrichi d'imposantes dépendances. Confisqué à la Révolution, puis racheté par le vicomte de Maleyssie en 1808, le château fut en partie abattu en raison de son état au début du XIXe siècle. Il demeure néanmoins un important édifice privé niché dans un écrin de verdure. Tous les deux ans, au mois d'août, on y organise une fête de la chasse. Visite sur rendez-vous.

The château in Maillebois

This château was a country house in the XIVth century when it was rebuilt by Jeanne le Baveux from 1421. One of her descendants, a superintendent to King Henri IV, converted this feudal residence into a château with vast windows. The grounds were extended in the XVIIth and XVIIIth centuries and imposing outbuildings were added. The château was confiscated during the French Revolution, bought back by viscount de Maleyssie in 1808, and then partially pulled down in the early part of the XIXth century because of its state of repair.

Le château de Montigny-sur-Avre

Classé monument historique, il a été construit au début du XVIIIe siècle. Très harmonieux, doté d'une symétrie parfaite, il est d'autant plus élégant qu'il trône dans un parc où passe l'Avre, petite rivière du nord du département. Transformé

en gîte, une partie du château de Montigny permet à ses hôtes de goûter au charme de la vie de châtelains pour un week-end ou un semaine. Dans les prés du château, vivent les chevaux et poneys de la ferme équestre de Montigny qui propose des promenades et des cours à cheval et à poney, quel que soit votre niveau.

The château in Montigny-sur-Avre

This listed building was built at the start of the XVIIIth century. The style is harmonious and perfectly symmetrical, and the elegance of the château is all the more enhanced by its privileged position in grounds crossed by the Avre, a small river running along the north of the Eure-et-Loir. Now a gîte, guests have the opportunity to spend a weekend or a week in part of the château tasting the lifestyle enjoyed by the lords of the manor. The meadows around the château are home to horses and ponies from the equestrian farm that offers outings on horseback and horse- and pony-riding lessons for all levels.

Le plan d'eau d'Ecluzelles

Faire de la voile en vallée de l'Eure, c'est possible. Le plan d'eau d'Ecluzelles, à 5 km de Dreux, est le plus grand du département avec ses 110 hectares. On peut y pratiquer le catamaran, le dériveur, la régate de compétition, la planche à voile, le canoë-kayak, avec des moniteurs ou avec son propre matériel. Des promenades en bateau collectif sont organisées à destination des familles. Un espace est réservé aux pêcheurs. Des circuits balisés permettent aux vététistes ou aux randonneurs à pied de découvrir les abords du plan d'eau et de profiter de jolies vues. De nombreuses espèces d'oiseaux vivent sur le site : palmipèdes, échassiers, rapaces… ; tout comme les batraciens, protégés en ces lieux. Plan d'eau ouvert tous les jours et toute l'année.

Ecluzelles lake

Ecluzelles lake, 5 km from Dreux, is the largest in the Eure-et-Loir, covering 110 hectares. Visitors can take to the water in a catamaran, sailing dinghy, windsurfing board or canoe, or take part in a regatta, accompanied by instructors or using their own equipment. Boat outings are also organised for family groups. Part of the lake is reserved for anglers. Cyclists and walkers can take advantage of the marked paths to explore the lake perimeter and enjoy the charming views. The area is also home to a number of species of web-footed birds, waders, birds of prey, etc. They, like the amphibians, have protected status around the lake. Open all days throughout the year.

Loisirs des airs

Baptêmes de montgolfière, vol en planeur, initiation à l'ULM, voltige aérienne, pilotage de petits avions : l'Eure-et-Loir compte de nombreux sites pour pratiquer les loisirs des airs. Citons Chartres (planeurs voltige, petits avions), Châteaudun (avions), Houx, Droue-sur-Drouette, Bailleau-Armenonville près de Maintenon (montgolfières), Houville-la-Branche, Pré-Saint-Martin, Montboissier, Champrond-en-Gatine, Fontaine-Simon et Viabon (ULM), Dreux-Vernouillet (ULM et avions).

Airborne leisure activities

Whether it is a maiden flight in a hot-air balloon, a trip in a glider, an introduction to microlighting, aerobatics or flying small aircraft, the Eure-et-Loir offers lots of possibilities for airborne leisure activities. There is Chartres for stunt gliders and small planes, Châteaudun for aeroplanes, Houx, Droue-sur-Drouette, Bailleau-Armenonville near Maintenon for hot-air balloons, Houville-la-Branche, Pré-Saint-Martin, Montboissier, Champrond-en-Gatine, Fontaine-Simon and Viabon for microlights, Dreux-Vernouillet for microlights and aeroplanes.

Escalade et 4x4 à Saint-Lucien

Le bois du Cormier, à Saint-Lucien près de Nogent-le-Roi, est le paradis des amateurs de sport nature. Encadrés par les techniciens d'Aventure loisirs organisation, les particuliers peuvent découvrir l'escalade classique sur des parois rocheuses et l'escalade des arbres avec passage d'une cime à l'autre via des ponts de singe, des échelles de cordes et autres techniques procurant des sensations fortes. Il existe même des parcours mêlant l'escalade classique, l'escalade d'arbres et la spéléologie.

Dans un autre style, les amateurs de 4 x4, quads ou motos-trial disposent eux aussi d'un espace pour piloter ces engins ou en apprendre le maniement. Ouvert toute l'année.

Climbing and 4x4 in Saint-Lucien

Bois du Cormier, the woods in Saint-Lucien close to Nogent-le-Roi, are a paradise for outdoor sports enthusiasts. The teams from Aventure Loisirs Organisation offer a supervised introduction to traditional rock wall climbing or to tree hopping, moving among the treetops across monkey bridges, rope ladders and other ways that are guaranteed to thrill.

Switching styles, an area is also set aside for 4 x 4, quad and trail bike fans to drive their machines or take lessons.

Opened all the year.

L'église de Courville-sur-Eure

A la fin du XIe siècle, Courville vivait sous la domination d'un petit seigneur féodal qui s'appropria la seule église existant à l'époque, l'église Saint-Nicolas. Pour assister aux offices, les habitants devaient payer. Ils n'acceptèrent pas longtemps cette contrainte et décidèrent de construire une autre église en dehors de l'enceinte du château. L'église Saint-Pierre fut donc édifiée, mais mal entretenue au fil des siècles. Si bien qu'au début du XVIe siècle, l'on entreprit de reconstruire une bâtisse en forme d'ogive surmontée d'une charpente magnifique et richement décorée. Le clocher fut bâti en 1620. L'église Saint-Pierre fut classée monument historique en 1907. Durant la Seconde Guerre mondiale, deux bombardements endommagèrent considérablement la toiture, les vitraux et l'autel de la Vierge. Il fallut donc fermer plusieurs années le bâtiment en attendant sa réparation. Aujourd'hui, l'église a retrouvé sa splendeur d'antan, grâce à la restauration des vitraux de Saint-Pierre qui ont été inaugurés en 1998 par Monseigneur Aubertin, évêque de Chartres. Aussitôt après cette inauguration, le clocher lui aussi fut restauré et inauguré. Malgré tout le bâtiment doit subir régulièrement de gros travaux.

The church in Courville-sur-Eure

In the late XIth century, Courville was under the rule of a minor feudal lord who appropriated the only church of the time, the church of Saint-Nicolas. The inhabitants had to pay to attend service. They did not tolerate this levy for long and decided to build another church outside the walls of the château. And so the church of Saint Pierre was built. However, it was badly maintained through the centuries, so much so that by the start of the XVIth century work began on building a new, ogival building topped by a magnificent and richly decorated roof structure. The steeple was built in 1620. The church of Saint-Pierre became a listed building in 1907. Today, the church has been returned to its former glory thanks to the restored stained-glass windows, which were unveiled in 1998.

L'église d'Orrouer

E trange église d'Orrouer plantée au milieu des champs, à plusieurs hectomètres du premier bourg habité. Autrefois, un village entourait l'édifice religieux, village incendié à la fin du XVIe siècle. Une première église existait au XIe siècle. Mais le monument qui trône sous le ciel aujourd'hui a été reconstruit entre le XVe et le XVIIe siècle. Il possède une charpente sculptée, des fonts baptismaux du XVIIIe siècle, une reproduction à l'identique de la statue polychrome du saint patron de la commune, Evroult, dont l'original datait du XVIe siècle. L'édifice, toujours ouvert au culte, bénéficie d'une restauration progressive, et retrouve notamment ses vitraux grâce à l'activité efficace de l'association « Orrouer mémoire ».

The church in Orrouer

How strange this church at Orrouer is, seemingly dropped in the middle of the fields several hundred metres away from the first inhabited village. A village did once stand around the church, but was burnt down at the end of the XVIth century. A church has stood here since the XIth century, but the one that sits imposingly under the sky today was rebuilt between the XVth and XVIIth centuries. It has sculptured timberwork, XVIIIth-century fonts, and an exact copy of the multicoloured statue of Evroult, patron saint of the commune, the original of which dates back to the XVIth century.

Archéologie à Auneau et Yermenonville

Vue d'ensemble des fouilles
General view of the excavations

Maquette de la maison néolithique d'Auneau
Model of the Neolithic house

Fouille des calages de poteau de la maison néolithique
Excavating the wedging on the Neolithic house post

Ces deux sites, au nord est du département, abritent les seules fouilles archéologiques programmées en Eure-et-Loir. Chaque été, une équipe de bénévoles y travaille pour comprendre les rites et pratiques funéraires des premiers agriculteurs beaucerons 3.500 ans avant Jésus-Christ (néolithique). A Auneau, où le chantier a débuté en 1979, on a découvert la sépulture la plus ancienne du département, voire de la région (entre 8.000 et 3.000 ans avant notre ère). A Yermenonville, petite commune du canton de Maintenon, on explore en plein champ depuis 2001 le dolmen de la Pierre-Fritte où des fouilles avaient déjà été menées à la fin des années 1920. Là, deux dolmens et un menhir ont été érigés entre 3.500 et 4.000 ans avant JC. Ils ont été détruits, volontairement, beaucoup plus tard.

Archaeology in Auneau and Yermenonville

Auneau and Yermenonville are the only two planned archaeological excavation sites in the Eure-et-Loir. A team of volunteers sets to work there each summer, to try shed light on the funerary rites and customs practised by the first farmers in the Beauce plain around 3,500 years BC (Neolithic period). In Auneau, where work on the site was begun in 1979, the team has unearthed the oldest grave found in the Eure-et-Loir and in the whole region (dating back to between 8,000 and 3,000 years BC).

In Yermenonville, a small commune in the Maintenon district, open-field exploration work has been ongoing since 2001 on the Pierre-Fritte dolmen, where excavations had already been made in the 1920s. Two dolmens and a menhir were raised at the site between 3,500 and 4,000 BC. They were deliberately wrecked at some much later point in time.

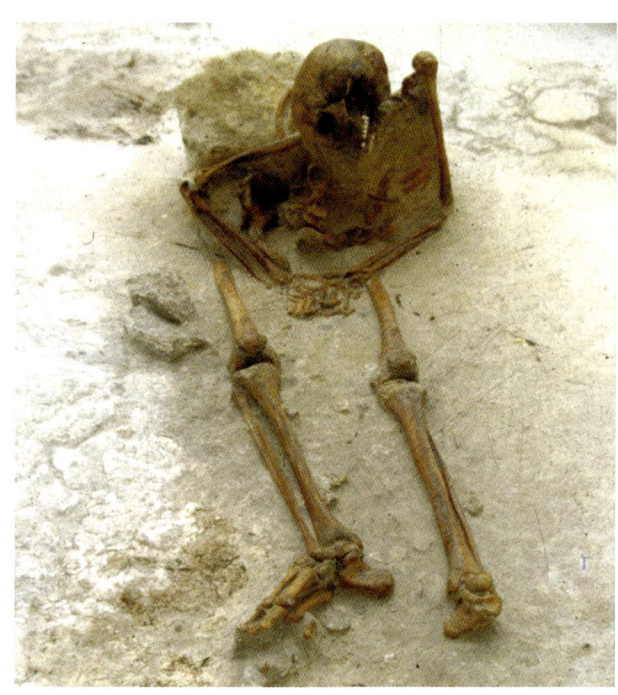

Sépulture mésolithique en position assise (7.500 ans av. JC)
Mesolithic corpse in the seated position (7,500 BC)

Le château de Montigny-le-Gannelon

Il faut découvrir le château de Montigny-le-Gannelon en arrivant de Cloyes. Telle la forteresse médiévale qu'il fut, il se dresse au sommet de la falaise et sa belle silhouette se découpe dans le ciel. Sa superbe façade rosée surplombe le village aux ruelles tortueuses, et le paisible Loir, qui coule au bord des étangs. L'on dit que le roi Charlemagne offrit cette vaste demeure à son compagnon Gannelon. Mais de cette époque (IXe siècle), il ne reste que ce site admirable, témoin de la mission ancestrale du château : le guet et la défense. Reconstruit en 1195 après avoir été incendié, le château n'a cessé depuis de se moderniser. La façade que l'on admire depuis les bords du Loir, ornée de tourelles, percée de multiples fenêtres de toute taille, est l'œuvre d'un élève de l'architecte Viollet-le-Duc (XIXe siècle). Sa façade intérieure, que l'on ne découvre qu'en allant visiter les lieux, est beaucoup plus sobre. Elle date du XVe siècle. Propriété familiale des Montmorency, puis, par alliance, des Lévis-Mirepois et des Talhouët, depuis 1831, le château est toujours habité. Il se visite partiellement depuis 1985 et sert de repaire magique pour des mariages et des réceptions.

The château in Montigny-le-Gannelon

The best view of the château in Montigny-le-Gannelon is arriving from the direction of Cloyes, to see it rising from the top of the hill like the medieval fortress it once was, its impressive silhouette outlined against the sky. The splendid rose-tinted façade looks out over the village with its winding alleyways and the river Loir as it flows peacefully past the edge of the lakes below. Charlemagne is said to have given this vast residence to his companion, Gannelon. This admirable site is the only remaining link to that time (IXth century), standing as witness to the ancestral role of the château: to keep watch and defend. The château was rebuilt in 1195 after a fire and has been revamped continually since then. The turreted façade bedecked with windows of all sizes that we can admire from the banks of the Loir is XIXth century, the work of a pupil of the architect Viollet-le-Duc. The interior is much more sober and dates from the XVth century. The château belonged to the Montmorency family, then through marriage to the Lévis-Mirepois family, and, since 1831, to the Talhouët family, and is still inhabited today. Part of the château is open to visitors.

Le château de Villebon

Tours crénelées en briques roses, douves en eau, magnifique parc, pont-levis qui fonctionne encore : le château de Villebon est une imposante forteresse construite à la fin du XIVe siècle. Les rois Charles VI, Charles VII, Louis XI, François 1er et Henri IV y furent reçus. Maximilien de Béthune, duc de Sully, fidèle compagnon du roi Henri IV, vécut dans ce château à partir de 1607. Il y mourut en 1641 après avoir agencé le parc et magnifié les tours. Avant lui, la famille qui avait fait bâtir le château, les d'Estouville, puissante lignée proche des rois de France, avait donné son style Renaissance à cet ouvrage d'origine militaire. La cour, notamment, date de cette époque (le XVIe siècle), tout comme la chapelle du château. Au XIXe siècle, le marquis de Pontoi-Poincarré, nouveau propriétaire, fit construire l'orangerie et dessiner les jardins à la française.

Propriété privée, le château de Villebon se visite, avec les châtelains du 1er avril au 30 septembre, pour les groupes sur réservation et pour les individuels le premier dimanche du mois, sans réservation. L'on peut y découvrir notamment l'ancienne cuisine et son immense cheminée médiévale, la salle des gardes, la chambre où Sully mourut, ou encore une galerie ornée de portraits des rois puis chefs d'Etat venus en visite.

The château in Villebon

With its crenellated towers in rose-coloured brick, moats, magnificent grounds and working drawbridge, the château in Villebon is an imposing fortress that was built in the late XIVth century. Kings Charles VI, Charles VII, Louis XI, François I and Henri IV all stayed here. Maximilien de Béthune, duke of Sully and faithful companion of King Henri IV, lived in the château from 1607 and had the grounds laid out and the beauty of the towers enhanced before dying here in 1641. Before him, the d'Estouville family, a powerful lineage who had close links to the kings of France and had built the château for military use originally, had given it its Renaissance style. The courtyard, in particular, dates from this era, as does the chapel. In the XIXth century, the château became the property of the marquis de Pontoi-Poincarré who had the orange grove added and the formal gardens designed.

The château is now private property but can be visited in the company of the lords of the manor between the 1st April and 30th September. The visit offers the chance to see the former kitchen with its massive medieval fireplace, the guardroom, the chamber in which the duke of Sully died and the gallery lined with the portraits of visiting kings and heads of state.

Bonneval

La ville de Bonneval prospéra au Moyen Âge autour de son monastère fondé par les moines bénédictins au IXe siècle. Le site religieux a été vendu comme bien national à la Révolution et transformé en filature de coton. Il abrite aujourd'hui un hôpital psychiatrique à vocation départementale dont une partie se visite sur rendez-vous.

De son passé médiéval, Bonneval a également conservé des fortifications des XIIIe et XVe siècles avec leurs fossés d'enceinte encore en eau, une église des XIIe et XIIIe siècles et des maisons anciennes du XIIIe siècle (d'autres belles demeures datent du XVIe siècle).

La ville, surnommée Venise beauceronne, compte trente ponts et passerelles enjambant le Loir et de nombreux petits canaux. Des barques électriques permettent de découvrir la ville en empruntant ces voies d'eau.

Promenades en barques électriques tous les après-midi en juillet et août, les weekends et jours fériés d'avril à septembre.

Bonneval

The town of Bonneval prospered during the Middle Ages through the monastery that had been founded by Benedictine monks in the IXth century. The religious site was sold as national property during the French Revolution and converted to a cotton-spinning mill. Today it is a psychiatric hospital serving the whole of the Eure-et-Loir.

Bonneval also retains some of its medieval past, in the form of the XIIIth- and XVth-century fortifications with their defensive ditches that are still filled with water, a XIIth- and XIIIth-century church and old, XIIIth-century houses (the town also includes some wonderful abodes from the XVIth century).

Nicknamed Venice of the Beauce, the town has thirty bridges and footbridges over the river Loir and a large number of small canals. The town can be visited on one of the pleasure boats that ply these waterways.

Pleasure boat trips run weekends and bank holidays from April to September and every afternoon in July and August.

Illiers-Combray et Marcel Proust

La commune d'Illiers-Combray est indissociable de Marcel Proust. Elle tient son nom composé de l'imagination de l'écrivain qui l'avait nommée Combray dans ses romans. En 1971, année du centenaire de la naissance de Marcel Proust, Illiers devint Illiers-Combray. L'écrivain passa une partie de ses vacances d'enfant dans la maison d'une sœur de son père. Dans le premier tome d'«A la recherche du temps perdu», Marcel Proust évoque longuement cette maison, devenue musée bien après sa mort : pièce après pièce, l'on plonge dans une ambiance fin XIXe, dans l'univers du petit Marcel, dans cette chambre qu'il occupa, dans celle où vivait la tante Léonie de son roman. Des photographies de Paul Nadar, ami de l'écrivain, sont exposées tout comme des objets ayant appartenu à Elisabeth et Jules Amiot, les véritables tante et oncle de Marcel Proust. Autre lieu emblématique de l'univers proustien, le Pré-Catelan, créé par l'oncle de l'écrivain, Jules Amiot. Ce jardin d'agrément, classé, avec ses sentiers tortueux et sa fausse rivière, est une oasis de fraîcheur au cœur de la cité. L'église Saint-Jacques, reconstruite au XVe siècle est une vaste bâtisse de pierre à la charpente remarquable.

Illiers-Combray and Marcel Proust

Illiers-Combray is inextricably linked with Marcel Proust. The compound name of this commune is taken from Proust who gave it the name Combray in one of his novels. In 1971, the centenary of the birth of Proust, Illiers changed its name to Illiers-Combray. The novelist spent some of his childhood holidays here in the home of one of his father's sisters. In the first volume of "A la recherche du temps perdu", he wrote at length about the house, which was turned into a museum after his death: each room thrusts the visitor into the atmosphere of the late XIXth century, into the world of the young Marcel, the room in which he stayed, and the room inhabited by aunt Léonie in the novel. Another emblematic location from the Proustian world is the Pré-Catelan, the ornamental garden created by the novelist's uncle, Jules Amiot. The garden is now a listed site and its winding paths and man-made stream make it an invigorating oasis in the heart of the commune. The church of Saint-Jacques, which was rebuilt in the XVth century, is a vast stone building with remarkable timberwork framing.

Marcel Proust : « la vie c'est la littérature »

Marcel Proust, consacra, après une vie mondaine, toute son existence à son œuvre maîtresse : « *A la recherche du temps perdu* ». Aujourd'hui encore, elle continue à faire de l'auteur un génie inégalé de la littérature mondiale. Dans cet ouvrage, il tente de retrouver notamment les instants, qu'enfant, il vécut à Illiers. En quête de sa vérité et de l'absolu de la création artistique, il écrit : « la vraie vie, la vie enfin découverte et éclaircie, la seule vie par conséquent réellement vécue, c'est la littérature… ».

Marcel Proust:
"The life it is the literature"

After living a high society life in his early adult years, Marcel Proust devoted the rest of his time to his major literary achievement: "A la recherche du temps perdu".
Today still, this work contributes to the author's standing as an unrivalled genius of world literature. Its main theme is the reminiscence of childhood moments from the time he spent in the village of Illiers.

La ferme médiévale de Bois Richeux

Un lieu historique, une belle bâtisse : la ferme de Bois Richeux est l'une des plus anciennes fermes de France, restaurée, depuis 1991, par des propriétaires passionnés. Elle tire son nom d'une druidesse celte, Richeulde, qui officiait dans ces bois il y a 2.000 ans. Au Moyen Âge, Bois Richeux fut la première des villas franches du Chapître de la cathédrale de Chartres, et accueillit les premiers paysans libres. En 1679, elle fut acquise par Madame de Maintenon, quelques années avant son mariage avec Louis XIV.

La ferme actuelle date principalement du Moyen Âge et du début de la Renaissance : manoir, colombier, étables et grange dîmière, dont la charpente a été en partie construite avec les bois d'échafaudage de la cathédrale de Chartres. L'ensemble avait subi les outrages du temps lorsqu'il a été racheté par un couple de Parisiens tombés sous le charme du site, en 1991. Enduits refaits, murs consolidés, toitures réparées, poutres remplacées, électricité et chauffage aux normes : après des travaux colossaux, le ferme de Bois Richeux a retrouvé son âme et sa splendeur. Elle est désormais dotée d'un jardin médiéval au charme incontestable : plantes médicinales, aromatiques, condiments, légumes anciens, petits fruits poussent dans des carrés bien agencés, à l'abri de hauts murs de pierres.

Visite en juin, juillet et septembre.

Horaires sur www.boisricheux.com.

The medieval Bois Richeux farm

A historic place with a beautiful building: Bois Richeux farm is one of the oldest farms in France, restored since 1991 by its devoted owners. It takes its name from a Celtic druidess called Richeulde who officiated in the woods 2,000 years ago. Bois Richeux was the first of the villas franches of the Chartres cathedral chapter, and welcomed the first free farmers. It was bought by Madame de Maintenon in 1679, a few years before her marriage to Louis XIV.

Most of the farm as it is today – the manor house, dovecote, stables and tithe barn whose timberwork was partly built using the scaffolding wood from Chartres cathedral – dates mostly from the Middle Ages and early Renaissance. The whole estate had suffered at the hands of time before it was bought in 1991 by a Parisian couple who fell under its spell. Now, after a huge amount of work, Bois Richeux farm has regained its soul and been restored to its former splendour. It now boasts a medieval garden of undoubted charm with medicinal and aromatic plants, condiments, heritage vegetables and berries growing in well laid-out square plots sheltered by high stone walls.

Visit in June, July and September.

le moulin de Ouarville
the mill in Ouarville

le moulin du Paradis à Sancheville
du Paradis mill in Sancheville

L a plaine de Beauce, avec ses céréales et ses grands vents, a longtemps abrité des moulins qui broyaient le blé pour produire de la farine. Sept moulins remarquables se dressent encore au milieu des champs, à la sortie des bourgs : le moulin Pelard, à Bouville, moulin pivot entièrement restauré (ouvert d'avril à octobre le week-end et fêtes) ; le moulin Barbier à Levesville-la-Chenard (ouvert d'avril à septembre le dimanche) ; le moulin de Moutiers-en-Beauce (pas de visite du bâtiment) ; le moulin de Ouarville (ouvert de Pâques à la Toussaint le dimanche et fériés) ; le moulin de Frouville-Pensier à Ozoir-le-Breuil (ouvert de Pâques à fin septembre le dimanche) ; moulin du Paradis à Sancheville (ouvert d'avril à début octobre, le samedi, dimanche et fériés) ; le moulin pivot de la Garenne à Ymonville (ouvert de mai à fin octobre le troisième dimanche du mois).

The mills of the Beauce plain

T he Beauce plain, with its cereal crops and strong winds, has long been the home of mills that ground the wheat into flour. Today, seven remarkable mills still remain, standing in the middle of the fields at the side of the roads leading out of their towns and villages: Pelard mill in Bouville, a fully restored post mill (open weekends and bank holidays from April to October); Barbier mill in Levesville-la-Chenard (open Sundays from April to September); the mill in Moutiers-en-Beauce (not open to the public); the mill in Ouarville (open Sundays and bank holidays from Easter to the 1st November); Frouville-Pensier mill in Ozoir-le-Breuil (open Sundays from Easter to the end of September); du Paradis mill in Sancheville (open weekends and bank holidays from April to early October); Pivot de la Garenne mill in Ymonville (open the third Sunday of every month between May and the end of October).

le moulin de Frouville-Pensier à Ozoir-le-Breuil
Frouville-Pensier mill in Ozoir-le-Breuil

Les moulins de Beauce

le moulin Pelard à Bouville.
Pelard mill in Bouville.

le moulin de la Garenne à Ymonville.
de la Garenne mill in Ymonville.

Jean Feugereux
(1923-1992)

Natif de la campagne beauceronne, et résidant longtemps à Prasville, il nous laisse des « tableaux » évocateurs de cette nature qu'il vénérait tant ! Colorés, puissants et animés les ciels de sa région, vus par Jean Feugereux, constituent le sommet de son œuvre.
« Jean Feugereux est à la Beauce ce que Cézanne est à la Provence ».

Jean Feugereux (1923-1992). Born in the Beauce countryside and a long-time resident of Prasville, Jean Feugereux has left us paintings that conjure up its nature that he held in such awe. The colourful, powerful and vibrant skies of the region, as seen by Jean Feugereux, are the culmination of his works.
"Jean Feugereux is to the Beauce what Cézanne is to Provence"

Châteaudun, son château et ses grottes

Châteaudun est l'une des plus belles villes touristiques de la vallée du Loir. Elle a été bâtie autour d'un puissant château, sur un éperon rocheux qui surplombe la vallée. Au Moyen Âge, Châteaudun, place fortifiée, était la capitale du comté de Dunois. Thibaud IV, au XIIᵉ siècle, a fait construire le donjon circulaire qui existe encore.

L'édification du château que l'on connaît date des XVᵉ et XVIᵉ siècle. A cette époque, Dunois et sa deuxième épouse, Marie d'Harcourt, possèdent le château. Jean d'Orléans, comte de Dunois était un prince capétien. Il a combattu aux côtés de Jeanne d'Arc puis après la mort de celle-ci, pour chasser les Anglais de France, lors de la Guerre de Cent ans. C'est à lui que l'on attribue la libération de Chartres en 1432, la conquête de la Normandie en 1449 et la négociation de la fin de la Guerre de Cent ans en 1453.

A Châteaudun, lui, son épouse, puis leurs descendants transforment l'ancien château féodal en un palais moderne et confortable. Un lieu où le roi Henri IV aima séjourner. Et

Châteaudun, its castle and its caves

Châteaudun is one of the most beautiful tourist towns in the Loir valley, built around a sturdy castle on a rocky outcrop above the valley floor. In the Middle Ages, Châteaudun, a fortified town, was the capital of the county of Dunois. In the XIIth century, Thibauld IV had a circular donjon built that is still there.

The castle that we know today was built in the XVth and XVIth centuries and during that period belonged to Dunois and his second wife, Marie d'Harcourt. Jean d'Orléans, count of Dunois and a Capetian prince, fought alongside Jeanne d'Arc and later, after she had died, to drive the English out of France during the Hundred Years' War; it is he that is credited with liberating Chartres in 1432, capturing Normandy in 1449 and negotiating the end of the Hundred Years' War in 1453.

He, his wife and then their descendants transformed the feudal castle in Châteaudun into a modern and comfortable

si Châteaudun fut plusieurs fois pillée et incendiée durant les guerres de religion, au XVIe siècle, le château demeura encore symbole de puissance et de richesse jusqu'au XVIIIe siècle. En 1710, le palais entra dans la famille du duc de Luynes, à une époque où la ville perdait de son influence.

L'économie locale périclitait, la plupart des nobles quittaient Châteaudun. Et en 1723, un gigantesque incendie dévasta la presque totalité de la ville. Un seul quartier fut épargné, dans lequel on trouve encore de belles maisons à pans de bois, datant de la Renaissance et qui mérite la visite.

Après ce désastre, la ville fut reconstruite selon un plan très géométrique. A la Révolution, la plupart des églises, y compris la Sainte-chapelle du château où étaient conservés les cœurs de Dunois et de Marie d'Harcourt, furent ravagées. Moins de cent ans plus tard, le 18 octobre 1870, lors d'une bataille entre Français et Prussiens, la ville subit de nouveau un incendie destructeur. Le château, peu épargné par ces coups du sort, menaçait ruines. Et il fallut attendre que l'Etat le rachète, en 1938, pour que des travaux soient entrepris. La restauration dura des années, mais le résultat est à la hauteur des efforts fournis. Le château de Châteaudun mêle trois styles d'architecture, féodale (le donjon), gothique (une aile) et Renaissance (la façade). Et ce cadre majestueux accueille désormais une animation permanente sur le thème de la gastronomie au Moyen Âge. Visite d'avril à novembre. Un circuit touristique balisé permet de découvrir les vieux quartiers. Châteaudun possède aussi une grotte qui vaut le détour. La grotte du Foulon est un site naturel creusé dans la vallée du Loir. A l'époque médiévale, les hommes ont agrandi la cavité naturelle en y extrayant de la pierre à bâtir. En 1723, une partie de la population s'est réfugiée en ce lieu pour échapper au grand incendie qui détruisait la ville. Visite d'octobre à mars, les samedis, dimanches et jours fériés, en avril et mai, tous les après-midi sauf le lundi, de juin à septembre, tous les jours. Sur rendez-vous tous les jours pour les groupes.

palace, a place where King Henri IV enjoyed staying. Châteaudun was pillaged and burned a number of times during the wars of religion, but the castle endured as a symbol of power and wealth until the XVIIIth century. In 1710, the palace entered the possession of the family of the duke of Luynes.

In 1723, a massive fire engulfed almost the entire town. Only one district was spared the flames, and visitors can still see beautiful timber-framed houses from the Renaissance period that are worth a visit.

Following the disastrous fire, the town was rebuilt to a very geometrical scheme. Most of the churches in the town, including the castle's holy chapel where the hearts of Dunois and Marie d'Harcourt were preserved, were laid to waste during the French Revolution. Less than 100 years later, on the 18th October 1870, the town again fell victim to a terrible fire, this time during a battle between French and Prussian soldiers.

The castle, little spared by these twists of fate, risked falling into ruins, and it was not until it was bought by the State in 1938 that major restoration work was begun. Châteaudun castle blends three architectural styles: feudal (the donjon), Gothic (one wing) and Renaissance (the façade). This magnificent setting today plays host to a permanent exhibition on medieval gastronomy.

Open to the public from April to November.

Visitors can explore the old quarters of the town on the marked tourist trail.

Châteaudun is also home to a cave that is worth a detour. The Grotte du Foulon is sunk into the Loir valley. The natural cave was enlarged in medieval times as men dug out the stone to use for building

Some of the townspeople sought refuge here in 1723 to escape the fire that was engulfing the town.

La défense de Châteaudun
le 18 octobre 1870
par Philippoteaux
(Hôtel de ville)

*The defence of Châteaudun
18 October 1870
by Philippoteaux
(town hall).*

La médiathèque de Châteaudun.
The multimedia library in Châteaudun

La place du 18 octobre
The Square of the 18 October.

Le musée de Loigny-la-Bataille

Le 2 décembre 1870, le petit village de Loigny, en pleine Beauce, a été le théâtre d'une terrible bataille entre Français et Prussiens. La guerre faisait rage entre les deux pays. Deux corps d'armée, le XVIᵉ, commandé par Chanzy, et le XVIIᵉ, commandé par Sonis, tentaient de gagner la capitale assiégée. A Loigny, aux côtés des Zouaves pontificaux commandés par le général de Charette, et d'autres troupes appelées en renfort, ils ont vaillamment combattu les envahisseurs. Cette valeureuse bataille n'a pas changé le cours de l'histoire et la Prusse a finalement gagné la guerre. Le général de Sonis, blessé, a dû être amputé d'une jambe. Des milliers d'autres soldats, dans les deux camps, ont trouvé la mort ou ont été blessés. A Loigny-la-Bataille, l'église fait désormais office d'édifice religieux, de mémorial et de sanctuaire qui se visite dix mois de l'année, le dimanche. La crypte abrite les tombeaux des généraux de Sonis et de Charette, ainsi qu'un ossuaire avec des ossements de plus de 1.200 soldats français et d'une soixantaine de Prussiens. Le musée, attenant au presbytère, contient des uniformes et des objets ayant appartenu aux militaires des deux camps. Dans la commune, plusieurs monuments ont été édifiés en mémoire de cet événement sanglant.

Loigny-la-Bataille museum

On the 2nd December 1870, the small village of Loigny in the heart of the Beauce plain was the setting for a fierce battle between French and Prussian soldiers during the Franco-Prussian War. Two army corps, the 16th, led by Chanzy, and the 17th, led by de Sonis, were attempting to reach the capital, which was under siege. It was at Loigny, alongside the papal Zouaves unit led by general de Charette and other troops summoned as reinforcements, that they gallantly fought the invading forces.

The valiant battle waged at Loigny did not change the course of the war, which the Prussians won. General de Sonis was wounded and had to have a leg amputated, and thousands more soldiers on both sides were killed or injured. The church in Loigny-la-Bataille now serves as a place of worship, a memorial and a shrine. The tombs of generals de Sonis and de Charette were placed in the church crypt, which also contains an ossuary with the bones of over 1,200 French soldiers and some 60 Prussian soldiers. The museum next to the presbytery contains an exhibit of uniforms and items from soldiers on both sides, while several monuments have been built in Loigny-la-Bataille itself in remembrance of this bloody event.

La maison de la Beauce à Orgères

La Beauce est une vaste plaine, qui va de la Seine à la Loire. Elle concerne 450 communes, cinq départements, deux régions, mais n'a pas de capitale reconnue. La Maison de la Beauce, dans le village d'Orgères-en-Beauce, au sud de l'Eure-et-Loir, est donc depuis 1995 l'emblème de cette région agricole. Ancienne ferme superbement réaménagée, la Maison de la Beauce a pour objectif de valoriser le pays beauceron, de vivifier ce territoire mal connu, parfois mal aimé : expositions permanentes (maquettes, photos, objets traditionnels…) et temporaires (photos, peintures…), colloques, animations pédagogiques ont fait du lieu un site incontournable pour qui veut tout comprendre de cette terre qu'aimait tant le poète Charles Péguy. Ouvert toute l'année, tout le week-end.

La maison de la Beauce in Orgères

The Beauce is a vast plain stretching from the Seine to the Loire. It includes 450 communes, 5 départements and 2 regions, but does not have an official capital. La Maison de la Beauce visitor information centre in the village of Orgères-en-Beauce, in the southeast of the Eure-et-Loir, has been the symbol of this farming region since 1995. It is a splendidly restored farmhouse whose role is to promote the Beauce area and energise this often overlooked part of the country: permanent exhibitions (models, photos, traditional artefacts, etc) and temporary exhibitions (photos, paintings, etc), speeches and educational events have made the site essential visiting for anyone looking to understand this land that was so adored by the poet Charles Péguy.
Open all weekend throughout the year.

L'Abbaye du Bois de Nottonville

Vaisseau de pierre au milieu des terres, l'abbaye du Bois de Nottonville est une exploitation agricole au passé historique. Il ne reste quasiment rien de l'ancienne demeure seigneuriale qu'elle fut jusqu'au XIe siècle, avec un donjon de plus de 25 mètres de haut. Les bâtiments actuels datent des XVe et XVIe siècles : le colombier et ses plus de 1.400 nids est particulièrement remarquable, tout comme la magnifique charpente de la grange et les profonds sous-sols, dotés de caves labyrinthiques. A la fin du XIe siècle et au début du XIIe, les vicomtes qui possédaient le site en ont fait don aux moines de Marmoutier. Ceux-ci ont habité les lieux et exploité ou loué les terres environnantes jusqu'à la fin du XVIIIe siècle. A cette époque, ils ont vendu l'abbaye à M. de Saint-Laurent, riche propriétaire terrien. Sans doute confisqué à la Révolution, le site a appartenu par la suite à différentes familles nobles ou bourgeoises, avant d'être acquis par des agriculteurs passionnés par son histoire. Des visites guidées sont organisées, notamment l'été.

Bois de Nottonville abbey

Standing like a stone vessel in the middle of the countryside, Bois de Nottonville abbey is a farm with a historic past. Practically nothing remains of what was, until the XIth century, a stately abode with a donjon standing over 25 metres high. The current buildings date from the XVth and XVIth centuries: the dovecote with over 1,400 pigeonholes is especially noteworthy, as are the splendid timberwork in the barn and the deep basements with their labyrinthine cellars.

In the late XIth and early XIIth centuries, the viscounts who owned the site presented it to the monks of Marmoutier, who lived here and worked and rented the lands until the end of the XVIIIth century when they sold the abbey to Mr Saint-Laurent, a wealthy landowner. The site was probably confiscated during the French Revolution and then passed through the hands of a number of families until it was bought by farmers with a very keen interest in its history.

Le château de Villeprévost

Villeprévost est un hameau de Tillay-le-Péneux. Son château a été construit au XVIIIe siècle. Il n'a pas subi de transformations notables depuis. Il possède un colombier du XVIe siècle. Cette gentilhommière beauceronne est entourée d'un parc de dix hectares, parfait exemple des jardins à la française. Conçu par un élève de Le Nôtre, architecte et jardinier du roi Louis XIV, ce parc devait célébrer l'amour et la beauté d'une femme, celle de Charles Le Juge qui fit embellir les lieux avant de les céder, ruiné, à Amand-François Fougeron en 1784. Les descendants de ce conseiller du roi habitent toujours Villeprévost et entretiennent les jardins avec passion. Allées de charmes dont certains datent de la fin du XVIIIe siècle, bosquets sous futaies, tapis vert, fleurs des sous-bois font oublier que le château connut des heures terribles : en 1798, plus de 300 brigands, de la bande des « chauffeurs d'Orgères » qui effrayait la région depuis plusieurs années, ont été enfermés dans les caves et interrogés dans les salons. Une exposition permanente retrace cette histoire.

Villeprévost château

Villeprévost is a hamlet of Tillay-le-Péneux. The château was built in the XVIIIth century and has remained largely unchanged since then. It also includes a dovecote that was built in the XVIth century. This country seat is surrounded by grounds that stretch across ten hectares and which provide a perfect example of formal gardens. They were designed by a pupil of Le Nôtre, architect and gardener to King Louis XIV, in praise of the love and beauty of one woman. That woman was the wife of Charles Le Juge, who had the grounds embellished and then, when he was ruined, sold them in 1784 to the king's counsellor, Amand-François Fougeron whose descendants still live at Villeprévost and tend to the gardens with a passion. In 1798, more than 300 brigands of the "chauffeurs d'Orgères" gang, who had been terrorising the area for a number of years, were locked in the vaults and interrogated in the rooms. A permanent exhibition now recounts the story.

L'ancien donjon et l'église de Gallardon

De Gallardon, au loin, on voit d'abord « L'Epaule », vestige de pierre à la forme tombante comme cette partie du corps humain. Cet ancien donjon haut de 38 mètres a été détruit en juin 1421. Il était l'un des éléments du système de défense du château qui se dressait là à l'époque. Et c'est un miracle que cette ruine médiévale tienne encore debout. « L'Epaule » n'est pas la seule curiosité de cette commune médiévale. Son église est l'une des plus belles d'Eure-et-Loir. Construit au XIᵉ siècle par Herbert de Gallardon, l'édifice comporte des éléments architecturaux du XIIᵉ siècle (parties basses de la nef et du chœur) et d'autres du XVᵉ (sa voûte en bois haute de 20 mètres entièrement peinte) : ce mélange d'art roman, gothique et Renaissance est l'une des richesses de ce petit monument au clocher tordu pour résister au vent.

The former donjon and the church in Gallardon

From a distance, the first view of Gallardon is "The Shoulder", a stone ruin that slopes like the eponymous part of the body. This 38-metre-high former donjon was destroyed in 1421. It formed part of the defensive system of the castle that stood here at that time. And it is a miracle that this medieval ruin is still standing. The church is one of the most visually striking in the Eure-et-Loir. It was built in the XIth century by Herbert de Gallardon and also combines architectural features from the XIIth century (lower parts of the nave and choir) and the XVth century (the fully painted, 20-metre-high wooden vault): this blend of Romanesque, Gothic and Renaissance art is one of the treasures of this small monument that has a crooked spire tower to withstand the wind.

La fresque de la Danse macabre de Meslay-le-Grenet

La petite église de Meslay-le-Grenet est célèbre pour sa Danse macabre, l'une des plus complètes existant en France. Datant de la fin du XVᵉ siècle, cette peinture occupe les murs sud et ouest d'une des deux nefs de l'église. Elle évoque la mort à laquelle personne n'échappe, quelle que soit sa condition : ecclésiastique, roi, noble, gouvernant, savant, bourgeois, enfant, ermite…Vingt personnages défilent, accompagnés de la mort, silhouette plus ou moins squelettique, qui les entraîne, et de textes moralisateurs. Au XVᵉ siècle, des Danses macabres étaient courantes. Elles évoquaient cette mort si présente en pleine époque de Guerre de Cent ans, où pillards et guerriers faisaient la loi dans les campagnes, et rappelaient la terreur causée par la grande épidémie de peste noire au milieu du siècle précédent.

D'autres fresques, le Dit des trois morts et des trois vifs, Les femmes bavardes à la messe et Le roi mort, ornent l'église. La Danse macabre de Meslay-le-Grenet a été restaurée au XIXᵉ siècle. Le bâtiment de l'église, dont la charpente était pourrie, est en travaux depuis 2005. Le chantier, prévu jusqu'à l'été 2006, pourrait bien durer plus longtemps que prévu.

The fresco of the Danse macabre in Meslay-le-Grenet

The small church in Meslay-le-Grenet is famous for its portrayal of the Danse macabre, one of the most complete representations still to be found in France. It was painted towards the end of the XVth century on the south and west walls of one of the church's naves, and depicts Death to which everyone must succumb regardless of status: men of the church, kings, nobility, bourgeoisie, children, hermits, etc. Twenty characters are shown passing by in the presence of Death, a skeletal figure, with accompanying moralising texts. Danse macabre were commonplace in the XVth century. They were a reminder that death was ever present in the midst of the Hundred Years' War when looters and soldiers ruled the countryside, and called to mind the horror of the plague in the middle of the previous century.

The church is also adorned with other frescoes: "le Dit des trois morts et des trois vifs" (the story of the three dead men and the three living men), "Les femmes bavardes à la messe" (the chattering women at mass) and "Le roi mort" (the dead king). The Danse macabre in Meslay-le-Grenet was restored in the XIXth century.

L'écuyer / *The squire*

Le roi / *The king*

Le parc et le château de La Ferté-Vidame

Un parc de 40 hectares, des pièces d'eau, des ruines majestueuses : il ne reste quasiment rien du faste des châteaux de La Ferté-Vidame. Il n'est pourtant pas difficile, en observant ces vestiges classés monuments historiques et en se promenant dans le parc, de deviner à quel point le site fut grandiose. La simple évocation des propriétaires successifs des lieux en témoigne : Claude de Saint-Simon, Louis de Rouvroy duc de Saint-Simon, le marquis de Laborde, le duc de Penthièvre, Louise-Marie-Adélaïde duchesse d'Orléans, le roi Louis-Philippe…

Le premier château de La Ferté-Vidame fut édifié au Xᵉ siècle. Une deuxième forteresse, immense, fut construite sur les ruines de la première au XVᵉ siècle. Au XVIIIᵉ siècle, le marquis de Laborde transforma la bâtisse : disparition des éléments défensifs, agrandissement et multiplication des fenêtres… En quelques années, le style médiéval fut complètement effacé. Mais la nouvelle beauté des lieux fut de courte durée : lors de la Révolution, le château fut pillé. Et à la fin du XVIIIᵉ siècle, son propriétaire du moment démonta tout ce qui pouvait être vendu pour payer ses dettes. Au début du XIXᵉ siècle, Louis-Philippe, devenu à son tour maître des lieux, entreprit de leur redonner meilleure allure : le mur du parc fut reconstruit ainsi que les pièces d'eau, le « petit château », datant du début du XVIIIᵉ, fut restauré. D'autres travaux d'embellissement furent effectués par la famille Laurent, qui racheta le site en 1880 : elle construisit notamment le pavillon Saint-Dominique, maison de gardien, qui abrite aujourd'hui le musée Saint-Simon avec divers documents sur la vie et l'œuvre du célèbre moraliste (1675-1755). Visite du parc tous les jours de janvier à octobre. Visite de l'espace de mai à septembre.

The grounds and château in La Ferté-Vidame

Grounds covering 40 hectares, ornamental lakes, majestic ruins: barely anything now remains of the splendour of the châteaux of Ferté-Vidame. However, looking at the listed ruins and strolling through the grounds, it is not difficult to see the extent of the grandeur the site once enjoyed. Just the list of the owners' names is enough to convey the idea: Claude de Saint-Simon, Louis de Rouvroy duke of Saint-Simon, the marquis of Laborde, the duke of Penthièvre, Louise-Marie-Adélaïde duchess of Orléans, King Louis-Philippe to name a few.

The first château in La Ferté-Vidame was built in the Xth century. The marquis of Laborde transformed the building in the XVIIIth century, removing the defensive features and increasing the size and number of the windows. Within a few years, the medieval style had completely disappeared. The new charm of the château was short-lived, however, as first it was ransacked during the French Revolution and then, at the end of the XVIIIth century, the owner took down everything that could be sold in order to pay off his debts. In the early years of the XIXth century, Louis-Philippe had become master of the estate and undertook to return it to its best demeanour: the wall around the grounds was rebuilt as were the ornamental lakes, and the early-XVIIIth-century "small château" was restored. Further work was carried out to enhance the appearance by the Laurent family, which bought the site in 1880 and most notably built the Saint Domingue lodge – the gatekeeper's cottage, which today houses the Saint Simon museum and a range of documents on the life and works of Louis de Rouvray duke of Saint Simon, the famous moralist (1675-1755).

Les jardins de l'Abbaye de Thiron-Gardais

Porte d'entrée du Parc naturel régional du Perche, Thiron-Gardais est une commune au passé prestigieux : son abbaye bénédictine, fondée en 1114 par Bernard de Ponthieu, fut à l'origine d'un Ordre spirituel influent du XIIᵉ. Les moines de l'Ordre de Tiron respectaient la stricte observance des Règles de Saint-Benoît, qui organisaient la vie du monastère entre la prière, la lecture des textes de la Bible et le travail manuel. Confiée en 1629 aux moines bénédictins de la Congrégation de Saint-Maur, l'abbaye trouve un second souffle avec la construction d'un collège d'enseignement classique qui deviendra l'un des dix collèges royaux militaires de France et qui accueillit des centaines d'élèves jusqu'à la fermeture de l'Abbaye à la Révolution. Au début des années 2000, le domaine de l'Abbaye renaît avec l'aménagement de jardins d'inspiration médiévale autour du vivier des moines. L'église abbatiale conserve le strict esprit de l'Ordre par son architecture sobre et dépouillée avec cette pierre rougeâtre, le grison. Face à la longue nef romane (XIIᵉ siècle), s'élève la grange aux dîmes, halle dans laquelle les moines entreposaient le produit de la dîme, impôt payé en nature par les paysans.

A partir de mai 2006, elle accueillera l'office du tourisme, un espace muséographique dédié à l'Ordre, un espace d'exposition temporaire et un espace multimédia. Un guide ludique de visite et un parcours d'interprétation guideront le visiteur à travers les allées de couleurs et de senteurs des jardins thématiques. Des fleurs symboliques destinées à l'autel de l'église aux plantes médicinales utiles à la fabrication de potion ou d'autres à la préparation de liqueurs, herbes aromatiques, plantes vivaces, légumes de saison aux formes et couleurs remarquables se côtoient agréablement. Allée aux roses et jardins de rhododendrons parfumés attireront les amateurs de collections.

The Themed Gardens of Thiron-Gardais Abbey

*T*hiron-Gardais is a gateway to the Perche Regional Nature Park and a commune with a prestigious past: its Benedictine abbey, founded in 1114 by Bernard de Ponthieu, gave rise to an influential XIIth-century spiritual order. The monks of the Order of Tiron lived by a strict observance of the rule of Saint Benedict that organised monastery life into prayer, the reading of biblical texts and manual labour. The abbey was entrusted to the Benedictine monks of the Saint Maur Congregation in 1629 and gained a new lease of life when a classical teaching college was built that would become one of the ten royal military colleges in France and which would be home to hundreds of pupils until the abbey was closed during the French Revolution. At the start of the XXIst century, the abbey estates were reborn when gardens were laid out to a medieval design. The abbey church has retained the austere spirit of the Order through its sober, bare architecture with its reddish stone. Rising opposite the long, XIIth-century Romanesque nave is the tithe barn, the hall where the monks stored the tithe contribution, a tax in kind paid by farmers.

From May 2006, the abbey will house the tourist office, a museum area focussing on the Order, a temporary exhibition area and a multimedia area. Symbolic flowers for use on the church altar, medicinal plants for producing potions and others for making liqueurs, aromatic herbs, perennials, seasonal vegetables in outstanding shapes and colours all mingle to pleasant effect. Fans of collections will be drawn to the rose alley and the fragrant rhododendron gardens.

Le château de Frazé

Le château de Frazé a été érigé en 1490 dans le parc qui abritait un précédent château détruit pendant la Guerre de Cent ans. Au siècle suivant, de nouveaux bâtiments d'un tout autre style, ainsi qu'une deuxième cour ont complété le premier monument d'architecture moyenâgeuse en forme de carré fermé. De ce château au style militaire, il reste aujourd'hui deux tours, le donjon, et une galerie. Car au XIXe siècle, le châtelain des lieux, ruiné, a dû faire démolir une partie du site pour revendre les matériaux.

Les constructions postérieures, de briques et de pierre, sont encore debout. Propriété privée, le château est entouré de jardins à la française dessinés au XIXe siècle.

The château in Frazé

The château in Frazé was built in 1490 in grounds that once housed an earlier château, which was destroyed during the Hundred Years' War. In the previous century, new buildings in a completely different style, and a second courtyard, were added to complement the original monument built in a medieval style in the shape of a closed square. Today, two towers, the donjon and a gallery remain of this military-style castle, as a penniless lord of the manor had to demolish part of the estate in the XIXth century in order to sell the material. Later constructions in brick and stone are still standing. The château is now private property and surrounded by formal gardens that were landscaped in the XIXth century.

Église, chapelle et musée à Saint-Denis-d'Authou

Une église romane, une chapelle à la charpente rare, un musée d'histoire locale : petite commune des portes du Perche, Saint-Denis d'Authou mérite le détour. Son église Saint-Denis est de style roman et possède une chapelle de fonts baptismaux à la forme originale datée de 1556 et classée à l'inventaire mobilier des Monuments Historiques.
La chapelle Saint-Hilaire-des-Noyers est un vestige de l'ancienne église paroissiale du même nom datant du XIe siècle. Cette petite chapelle possède une charpente dite « à chevrons formant fermes » de la fin du XIIe siècle, en très bon état (visite tous les jours).
Le musée d'histoire locale propose plusieurs collections : vêtements sacerdotaux, toilettes et coiffes percheronnes, objets anciens, photographies anciennes, plans de communes du XIXe siècle, matériaux provenant de la toiture de la chapelle Saint-Hilaire lors de sa restauration… Visite du musée le samedi.

La chapelle St-Hilaire
The chapel St-Hilaire

The church, chapel and museum of Saint-Denis-d'Authou

With its Romanesque church, chapel with a rare timberwork style, and a local history museum, the small commune of Saint-Denis-d'Authou on the edge of the Perche is worth a detour. Its church, Saint Denis, is built in the Romanesque style and includes a chapel with font from 1556 that still has its original shape and is included in the inventory of fittings in listed buildings.
The chapel of Saint-Hilaire-des-Noyers is the remains of a former XIth-century parish church that bore the same name. The chapel has a late-XIIth-century truss rafter construction that is still in very good condition.
Several collections can be seen in the local history museum, including vestments, outfits and headdresses from the Perche region, ancient artefacts, old photographs, XIXth-century maps of the commune, materials taken from the roof of the chapel of Saint Hilaire while it was being restored. Visit Saturdays.

La chapelle
de la Délivrance
*The chapel
of Deliverance*

L'Église St-Denis
The church St-Denis

Les parcs de loisirs :
Fontaine-Simon, Cloyes-sur-le-Loir

Fontaine-Simon, petite commune au cœur du Perche, est dotée du parc de loisirs le plus renommé du département : bassins nautiques, rivières à contre-courant, bains à remous, hammam, sauna, toboggan, mini-golf, jeux pour enfants. Tout y a été conçu pour que petits et grands y trouvent leur bonheur. Une première base de loisirs en plein air a ouvert en 1990 sur et près du plan d'eau. En 1994, elle a été complétée par un bassin aquarécréatif, une piscine couverte, des jeux d'eau, un bain à remous… Et quatre ans plus tard, une rivière à contre-courant, un mini-bassin pour les enfants de moins de 8 ans, et un espace avec des jeux secs se sont ajoutés. Le site enregistre près de 90.000 entrées par an.

A Cloyes-sur-le-Loir, tout au sud du département, l'eau est aussi la vedette du parc de loisirs : un espace nautique de 250 m², un jacuzzi, une pataugeoire, des pédalos, des toboggans, des canoës. Des balades à poneys sont également possibles. Ces deux parcs de loisirs voisinent avec des campings baignés de verdure.

Leisure parks: Fontaine-Simon, Cloyes-sur-le-Loir

Fontaine-Simon, a small commune in the heart of the Perche region, boasts one of the most renowned leisure parks in the Eure-et-Loir, with pools, counter-current rivers, whirlpools, steam rooms, sauna, slide, mini-golf and children's games. All the amenities have been designed with the enjoyment of both children and adults in mind. The first open-air sports and recreation park was opened on and around the lake in 1990, and a recreation pool, covered swimming pool, water games, whirlpool and more were added in 1994. Then, four years later, a counter-current river, kiddies' pool and dry games area were also added. The park receives almost 90,000 visitors every year.

At Cloyes-sur-le-Loir in the far south of the Eure-et-Loir, water is also the main attraction in the leisure park that offers a 250-m pool area, a jacuzzi, paddling pool, pedalos, slides and canoes. The park also offers pony rides. Both of these parks are located next to campsites in plush green settings.

Le château de Senonches

C'est un édifice au donjon majestueux reconstruit au XIIe siècle par Hugues II de Châteauneuf, seigneur du Thimerais, puis agrandi aux XVe et XVIIe siècles.

De ces différentes époques, subsistent des parties du mur d'enceinte et du corps de logis, et surtout la tour - porche fortifiée. De forme quadrangulaire, d'architecture romane, et construite en pierre de grison rougeâtre, elle s'élève à 15 m au dessus du sol.

Le château est en cours de restauration. Les bâtiments les plus anciens seront réhabilités. A terme, les lieux deviendront une maison thématique du bois et des forêts du Perche et de Senonches et un espace d'animation.

La vie de la commune s'est longtemps organisée en lien avec la forêt qui la cerne : Senonches produisait du bois, ses habitants travaillaient ce bois.

La saboterie du hameau de Laudigerie a employé jusqu'à 70 personnes à la fin du XIXe siècle. Une fabrique de meubles de qualité existe encore.

The château in Senonches

The château with its majestic donjon was rebuilt in the XIIth century by Hugues II of Châteauneuf, lord of Thimerais, and then enlarged in the XVth and XVIIth centuries. Parts of the enclosing wall and of the main building, and, most of all, the fortified gate tower survive from these different periods. The quadrangular gate tower is built in the Romanesque style from reddish stone and stands 15 metres high.

The château is currently being restored. The oldest buildings will be rehabilitated. In the long term, the site will be a theme-based visitor centre focussing on the wood and the forests in the Perche region and in Senonches, and an events venue. Life in the commune has long been organised in harmony with the surrounding forest: Senonches provided the wood that its inhabitants worked. The clog factory in the hamlet of Laudigerie employed up to 70 people at one time in the late XIXth century. A high-quality furniture factory still exists.

Nogent-le-Rotrou, son château, son ancienne abbaye

La cité de Nogent-le-Rotrou a été bâtie autour du château Saint-Jean, élevé sur un éperon rocheux dominant la vallée de l'Huisne. Au Moyen Âge, Nogent était une place forte du Perche, zone frontière entre les terres sous dominance du roi de France et le Duché de Normandie. La dynastie des Rotrou, qui devinrent les comtes du Perche, régna sur Nogent et son château de la fin du Xe siècle jusqu'en 1226.

C'est l'époque de guerres successives dont l'architecture du château Saint-Jean porte la marque : un donjon rectangulaire en pierre au XIe siècle, des contreforts au XIIe siècle, une enceinte circulaire et sept tours au XIIe et XIIIe siècles, dont l'une servait à accumuler les vivres pour soutenir les sièges, des cachots souterrains… Lors de la Guerre de Cent ans, le Perche, Nogent et son château passent des Français aux Anglais et des Anglais aux Français. Cet épisode guerrier s'accompagne de diverses destructions et dégâts dans la bâtisse militaire. En 1447, les Anglais quittent définitivement le Perche et Nogent perd son rôle de frontière.

Passé de famille en famille, au gré des mariages, depuis 1226, le château Saint-Jean devient propriété des Demoiselles d'Armagnac en 1503. Elles transforment l'ensemble médiéval en une demeure plus confortable, et plus esthétique : fenêtres plus vastes, sculptures… Au XVIe siècle, la haute noblesse convie les poètes et autres artistes de la langue française à se produire à Nogent. En 1624, le duc de Sully, Maximilien de Béthune, ministre du roi Henri IV, acquiert le château et ses terres. Il y fait construire un petit pavillon. La ville prend le nom de Nogent-le-Béthune. C'est là que l'ancien ministre du roi de France est enterré depuis 1641, dans la rotonde, près de l'église Notre-Dame.

Le château Saint-Jean a subi de nouvelles transformations au XIXe siècle : tentative de destruction de deux des tours, endommagées, et qu'il faudra par la suite restaurer, aménagement de nouvelles fenêtres et portes, etc. Au siècle dernier et aujourd'hui encore, l'œuvre de restauration se poursuit. Le château abrite un musée évoquant la vie du Perche au XIXe siècle et organise des expositions temporaires. Et son donjon, bientôt millénaire, se visite intégralement tous les jours sauf le mardi. Au pied du monument, s'élèvent les belles demeures Renaissance du quartier du Pâty. La ville possède également les vestiges de l'abbaye Saint-Denis fondée au XIe siècle par Geoffroy III, petit-fils de Rotrou Ier. Au XVe siècle, à l'apogée de leur puissance, les moines administraient la moitié de la ville. Plusieurs anciens bâtiments de cette abbaye bénédictine qui abrita jusqu'à la Révolution la sépulture des comtes du Perche sont visibles de la rue, dont le porche Saint-Laurent, qui en marquait l'entrée. Le monastère ferma en 1788.

Nogent-le-Rotrou, its castle and former abbey

*T*he town of Nogent-le-Rotrou was built up around the castle of Saint Jean, itself built on a rocky outcrop that looks out over the entire Huisne valley. In the Middle Ages, Nogent was a fortified town of the Perche region and formed a border zone separating the lands ruled by the King of France and the Duchy of Normandy. The members of the Rotrou dynasty, who were to become the counts of Perche, reigned over Nogent and its castle from the late Xth century until 1226. This was a time when one war followed another, marking their passage on the castle: a rectangular stone donjon in the XIth century, buttresses in the XIIth century, an encircling wall and seven towers in the XIIth and XIIIth centuries, one of which was used to stockpile provisions to last the sieges, underground dungeons, etc. During the Hundred Years' War, Perche, Nogent and its castle passed from French to English hands and back again. This period of war caused much destruction and damage to the military building. The English left the Perche for good in 1447 and Nogent's role as a border town came to an end.

In 1503, the castle came into the possession of the Demoiselles d'Armagnac (the Ladies of Armagnac – daughters of the duke of Nemours), who transformed the medieval pile into a more comfortable and more aesthetically appealing abode with larger windows, sculptures etc. In the XVIth century, the nobility invited poets and other artists of the French language to perform in Nogent. In 1624, Maximilien de Béthune, the duke of Sully and minister to King Henri IV, purchased the castle and its grounds and built a small lodge there. The town took the name of Nogent-le-Béthune. The former minister to the king has been buried here since 1641, in the rotunda near Notre Dame church.

The castle of Saint Jean was altered many times during the XIXth century: an attempt was made to pull down two of the towers because of damage but they then had to be restored, new doors and windows were fitted, etc. Restoration work still continues to this day. The castle contains a museum on life in the Perche region in the XIXth century and also holds temporary exhibitions. A visit can be made to the whole of the donjon, which will soon be celebrating its 1,000th birthday.

At the foot of the monument are the striking Renaissance abodes of the Pâty district.

The town is also home to the remains of the Saint Denis abbey, which was founded in the XIth century by Geoffrey III, grandson of Rotrou 1st. The monks ran half of the town at the height of their power in the XVth century. This Benedictine abbey was the burial place of the counts of Perche until the French Revolution, and a number of its old buildings can be seen from the street, including the Saint-Laurent gate, which was the entrance to the abbey. The monastery closed in 1788.

Le parc naturel régional du Perche

Jusqu'à la Révolution, le Perche était une province française à part entière. Le parc naturel régional, créé en 1998, est une partie de cette province. Il englobe actuellement 118 communes, 40 en Eure-et-Loir (dont Nogent-le-Rotrou, Senonches, La Ferté-Vidame, Thiron-Gardais) et 78 dans l'Orne. On y développe la notion de terroir autour du patrimoine bâti, des paysages, de l'artisanat local, de musées des traditions populaires ou d'histoire, de fêtes et d'animations culturelles.

The Perche Regional Nature Park

Perche was a province in its own right before the French Revolution. The regional nature park that was set up in 1998 is part of this province. It currently encompasses 118 communes, 40 of them in the Eure-et-Loir (including Nogent-le-Rotrou, Senonches, La Ferté-Vidame and Thiron-Gardais). The local land and identity are promoted through the physical heritage left by the buildings, the countrysides, local crafts, museums of popular traditions and history museums, festivals and cultural events.

Au manoir de Courboyer, commune de Nocé, près de Nogent-le-Rotrou, la maison du parc propose quantité de produits régionaux : miel, cidre, terrines (ouvert tous les jours de l'année). Le parc est aussi le royaume des randonneurs : ils peuvent emprunter des chemins en forêts pour découvrir, des sentiers qui bordent les enclos des chevaux percherons pour débusquer des champignons, découvrir des tourbières… une cinquantaine de randonnées sont répertoriées. S'ajoutent à cela les circuits permettant de découvrir le patrimoine : les manoirs, les fermes fortifiées, les châteaux, les églises, les abbayes pour les uns, les paysages vallonnés et boisés, la faune, la flore pour les autres. Les loisirs de plein-air (canoë-kayak, VTT, etc.) ont aussi leur place dans ce paradis du tourisme vert.

The park headquarters in Courboyer manor, in the commune of Nocé near Nogent-le-Rotrou, have a range of regional produce on offer such as honey, cider and smooth pâtés, and are open all year long. The park is also a popular spot with ramblers who can take the paths into the forest or alongside the paddocks of Percheron horses to search for mushrooms or discover the peat bogs and more on one of the 50 or so listed trails. Added to these are the routes that will take you on a journey of discovery among the area's heritage sites: manor houses, fortified farms, châteaux, churches and abbeys for some; walks in the woods and valleys, the animal life and plant life for others. And there is also room for open-air leisure activities such as canoeing and mountain biking in this green tourism heaven.

« Cerise », la jument percheronne accueille le visiteur à l'entrée du Parc naturel régional du Perche
"Cerise", a Percheron mare, welcomes visitors at the entrance to the Perche Regional Nature Park.

Les adresses utiles

Comité départemental du Tourisme
10, rue Docteur Maunoury - BP 67
Tél. 02 37 84 01 00
info@tourisme28.com

Offices de Tourisme

• **Chartres :**
Place de la Cathédrale - BP 50289
28005 Chartres Cedex
Tél. 02 37 18 26 26
info@otchartres.fr

• **Dreux :**
6, rue des Embûches - 28100 Dreux
Tél. 02 37 46 01 73
contact@ot.dreux.fr
La chapelle royale : Tél. 02 37 46 07 06

• **Châteaudun :**
1, rue Luynes
Tél. 02 37 45 22 46
www.ville-chateaudun.com

• **Nogent-le-Rotrou :**
44, rue Villette-Gâté - BP 80141
28401 Nogent-le-Rotrou
Tél. 02 37 29 68 86
nogentlerotrou.tourisme@hotmail.com
Le Château-musée : Tél. 02 37 52 18 02

• **La Ferté-Vidame :**
18, rue de Laborde
28340 La Ferté-Vidame
Tél. 02 37 37 68 59
www.cc-la-ferte-vidame.fr

• **Canton de Bonneval :**
2, square Westerham - 28800 Bonneval
Tél. 02 37 47 55 89
contact@bonnevaltourisme.com

Syndicats d'Initiative

• **Canton de Thiron-Gardais :**
11, rue du commerce
28480 Thiron-Gardais
Tél. 02 37 49 42 62
si.canton.thiron@wanadoo.fr

• **Senonches :**
2, rue Louis-Peuret - 28250 Senonches
Tél. 02 37 37 80 11

Chartres :

• **Le musée des Beaux-Arts :**
29, Cloître Notre-Dame
Tél. 02 37 36 41 39

• **Le conservatoire de l'agriculture :**
Pont de Mainvilliers
Tél. 02 37 84 15 00
lecompa@cg28.fr

• **L'hippodrome :**
12, rue Jean-Monnet
Tél. 02 37 34 93 73

• **Centre international du vitrail :**
5, rue du Cardinal-Pie
Tél. 02 37 21 65 72
contact@centre-vitrail.org

• **Association des Verriers :**
Maison des entreprises
Tél. 06 86 27 36 51

Le château de Maintenon :
28130 Maintenon
Tél. 02 37 23 00 09

Le parc naturel régional du Perche
Maison du Parc-Courboyer
BP 15 - 61340 Nocé
Tél. 02 33 25 70 10
info.tourisme@parc-naturel-perche.fr

Le château d'Anet :
Tél. 02 37 41 90 07

Le château de Villebon :
28190 Villebon
Tél. 02 37 37 35 63

Le château de Frazé :
28160 Frazé
Tél/fax : 02 37 29 56 76

Le château de Montigny-sur-Avre :
250, rue du Petit-Sault
28270 Montigny-sur-Avre
Tél. 02 37 48 26 67

La ferme médiévale de Bois-Richeux :
28130 Pierres-Maintenon
Tél. 06 11 88 20 20
infos@boisricheux.com

Les numéros utiles

Renseignements téléphoniques
Directory enquiries : **118 712**

Renseignements téléphoniques internationaux
International directory enquiries : **3212**

Gare SNCF :
Trains 36 35 ou 02 37 84 61 66

Taxis :
Chartres Taxis 2000 : 02 37 36 00 00
Chartres Radio-Taxi : 02 37 21 91 62

Hôtel de ville de Chartres : 02 37 23 40 00

Equipements, transports : 02 37 20 40 70

Chambre de commerce : 02 37 84 28 28

Les numéros d'urgences

Médecins / *Doctors* **:**
Consulter le carnet des quotidiens locaux :
See the directory section of the local
newspapers :
« La République du Centre »
« L'Écho Républicain »

SAMU :
Service d'Aide Médicale d'Urgence :
Emergency services : **15** (gratuit/*free*)

Hopital Chartres:
Hospital : **Tél. 02 37 30 30 30**

Police/*Police* **:** **17** (gratuit/*free*)

Pompiers/*Fire brigade* **:** **18** (gratuit/*free*)

Appel d'urgence européen
European emergency call :
112 (gratuit/*free*)

Achevé d'imprimer
le 10 avril 2006
par MEGATOP Naintré

Imprimé en France
Printed in France

Dépôt légal 2e trimestre 2006
ISBN 2-904237-72.2